OS LUGARES MÁGICOS

dos Filmes de

Harry Potter™

OS LUGARES MÁGICOS
dos Filmes de
Harry Potter™

HOGWARTS, BECO DIAGONAL E ALÉM

JODY REVENSON

Tradução: Regiane Winarski

1ª edição

Galera
RIO DE JANEIRO
2015

An Insight Editions Book

SUMÁRIO

INTRODUÇÃO

O mundo pelo qual viajamos nos filmes de *Harry Potter* é mágico, extraordinário e completamente plausível. De um banco dirigido por duendes a um castelo cheio de escadarias que se deslocam, de um esporte praticado em vassouras voadoras a um chalé todo feito de conchas, somos continuamente levados a lugares novos e incríveis, seguindo o garoto que descobriu um mundo do qual nem sabia da existência, mas que ele (e nós) rapidamente aceitamos como autêntico e verdadeiro.

A credibilidade era de suma importância para o diretor de arte Stuart Craig, que aceitou construir uma versão cinematográfica do mundo mágico dos livros de J. K. Rowling. Craig tinha uma lista de perguntas desde o começo, e todas foram respondidas no primeiro encontro com a autora. Com um pedaço de papel e uma caneta em mãos, Rowling desenhou para ele um mapa de Hogwarts e seus arredores: Hogsmeade, o lago, o campo de quadribol, a Floresta Proibida, até o salgueiro lutador. "Estava tudo naquele mapa bem simples", diz Craig. "Aquele pedaço de papel era a autoridade máxima, e usei-o como referência durante os dez anos de filmagem."

Para ajudá-lo a ocupar as salas de aula e as moradias, Craig incluiu no projeto a cenógrafa Stephenie McMillan. Ela e a equipe fizeram compras em mercados de pulgas e lojas de antiguidades, alugaram de companhias de teatro e construíram móveis e adereços originais. Ela contratou uma tricoteira cujo trabalho cobriu a mobília duvidosa dos Weasley. Também trabalhou com

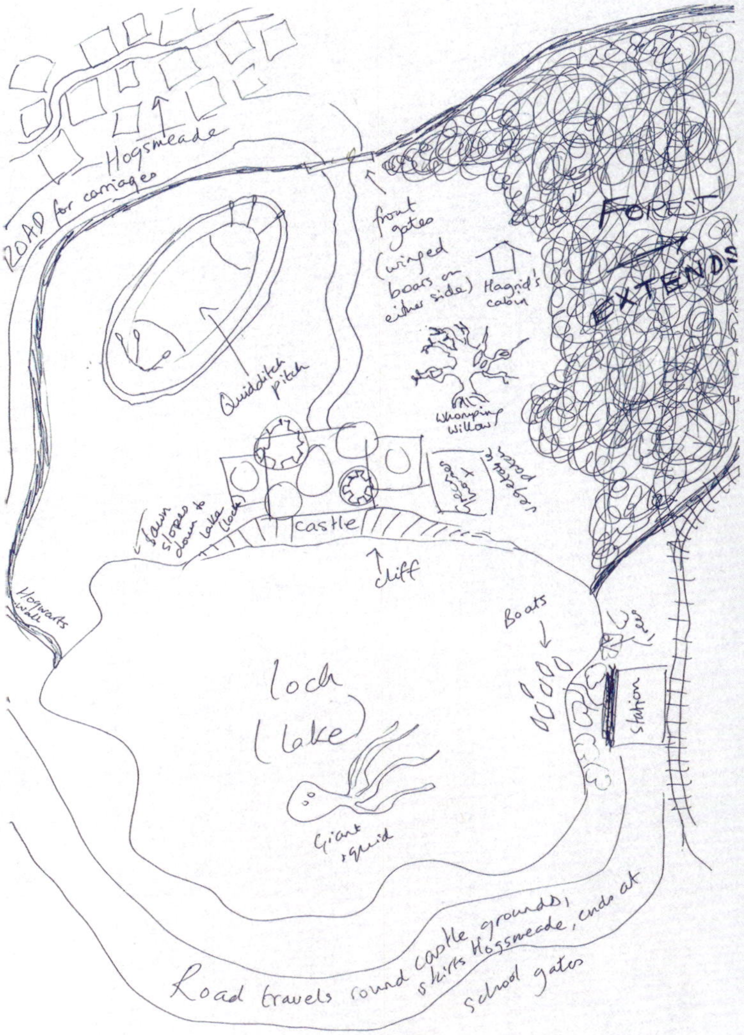

ANTERIOR: *O Expresso de Hogwarts se aproxima do castelo na arte conceitual feita por Andrew Williamson para* Harry Potter e o Enigma do Príncipe. ACIMA, À DIREITA: *O mapa do castelo e do terreno de Hogwarts que J. K. Rowling desenhou na primeira reunião com Stuart Craig.* ABAIXO: *Arte conceitual para* Harry Potter e a Câmara Secreta *feita por Andrew Williamson.*

o departamento de figurino para coordenar o tecido da poltrona do professor Horácio Slughorn e sua versão como pijama. McMillan adquiriu o hábito de consultar os atores sobre os espaços que lhes eram pessoais. Perguntou a Alan Rickman (professor Severo Snape) sua opinião sobre a locação da rua da Fiação em *Harry Potter e o Enigma do Príncipe*; ele pediu a ela para retirar os itens que pareciam pessoais demais. A conversa com Emma Watson (Hermione Granger) sobre o quarto de sua personagem em *Harry Potter e as Relíquias da Morte – Parte 1* gerou um conselho fundamental: acrescentar mais livros.

Cada novo filme trazia novos lugares e novos desafios. A equipe de Craig e McMillan trabalhou com os produtores David Heyman e David Barron, com os diretores Chris Columbus, Alfonso Cuarón, Mike Newell e David Yates, e com a autora J. K. Rowling. Os designers conceituais Adam Brockbank, Andrew Williamson e Dermot Power, entre outros, desenvolveram visuais para as locações a partir de desenhos a lápis fornecidos por Stuart Craig. Essas ideias depois se tornariam dimensionais, física ou digitalmente, através de métodos consagrados ou técnicas recém-desenvolvidas. As equipes do departamento de arte incluíam construtores, escultores, modeladores, gesseiros e carpinteiros. Criadores de adereços encheram o Beco Diagonal com caldeirões e gaiolas. Diretores de arte supervisionaram a criação de quadros para serem pendurados nas paredes das escadarias. Artistas gráficos colocaram etiquetas em frascos de poções, fizeram rótulos para os produtos da Gemialidades Weasley e criaram cartazes para a Floreios e Borrões.

Nos primeiros filmes de *Harry Potter*, a empresa de produção aproveitou locações já existentes por questões de tempo e orçamento. Craig e seus pesquisadores de locação procuraram universidades e catedrais na Inglaterra que pudessem representar o castelo de Hogwarts e dar a ele a atemporalidade que uma instituição de aproximadamente mil anos merecia. Stephenie McMillan sabia que

ESQUERDA: *O cenário da espaçosa barraca da família Weasley na Copa Mundial de Quadribol, usada em* Harry Potter e o Cálice de Fogo. ACIMA: *Arte conceitual feita por Andrew Williamson para* Harry Potter e as Relíquias da Morte – Parte 1. POSTERIOR: *A arte de Dermot Power mostra uma vista de Hogwarts a partir da Floresta Proibida.*

esses diferentes lugares precisavam ter uma ligação entre si, mesmo que em nível subconsciente, e certificou-se de que objetos reconhecíveis estivessem sempre à mão, para que as locações combinassem. "Tínhamos várias colunas de um metro e meio com lampiões no formato de coruja que eram portáteis", explica McMillan. "Assim, indo da Universidade de Oxford para a Catedral de Durham, por exemplo, nós levávamos nossos lampiões de coruja, colocávamos nos corredores e fazíamos os dois lugares parecerem Hogwarts."

Conforme foram feitos mais filmes, as locações foram recriadas em Leavesden Studios, uma fábrica de motores de avião de 1940 transformada em estúdio de cinema. David Heyman, que estava à procura de um espaço grande o bastante para gravar os filmes, foi levado ao local — que tinha 50 mil metros quadrados de espaço cercado de 8 acres de terra — e percebeu que tinha encontrado um lugar para chamar de deles. Ao longo da série, a região montanhosa da Escócia foi filmada para ser usada como plano geral, como inspiração para pinturas de cenário e fundos compostos digitalmente. Um modelo em miniatura também foi criado, e acabou sendo digitalizado para o computador. Os pináculos e torres de Hogwarts apareciam e desapareciam conforme a história exigia, e Stuart Craig aproveitou tais oportunidades para redesenhar a silhueta do castelo e seus arredores, observando que "ninguém parecia se incomodar. As pessoas pareciam aceitar que era parte de um mundo mágico".

Esse mundo mágico inspirou a imaginação dos fãs de Harry Potter em toda parte. Quem não iria querer tomar uma cerveja amanteigada no Três Vassouras, ficar horas olhando os doces na Dedosdemel ou passar a noite na Toca com os Weasley? Nós sabemos que só é preciso bater nos lugares certos em um muro de tijolos atrás do Caldeirão Furado para entrar. A seguir, há uma compilação de informações valiosas dos bastidores, capturas de tela informativas e exemplos de arte cativante que mostram os lugares maravilhosos que visitamos através dos filmes de *Harry Potter*.

EM SENTIDO HORÁRIO: *A arte de Dermot Power para* Harry Potter e a Câmara Secreta *mostra um rio ao lado do campo de quadribol, um aspecto geográfico que não aparece nos filmes; uma vista do portão de Hogwarts; arte conceitual feita por Adam Brockbank.*

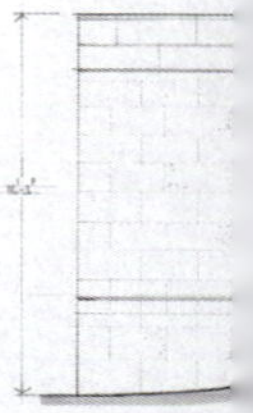

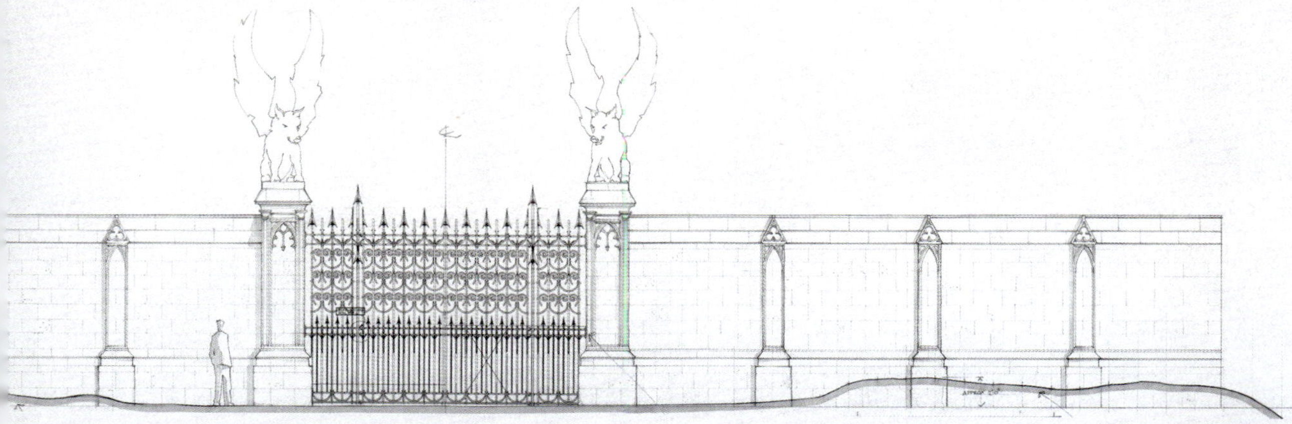

CAPÍTULO 1

A CASA DOS DURSLEY

OCUPANTES: Válter, Petúnia e Duda Dursley, Harry Potter

LOCAÇÕES DE FILMAGEM: Picket Post Close, Bracknell, Berkshire, Inglaterra; Leavesden Studios

APARIÇÕES: *Harry Potter e a Pedra Filosofal, Harry Potter e a Câmara Secreta, Harry Potter e o Prisioneiro de Azkaban, Harry Potter e a Ordem da Fênix, Harry Potter e as Relíquias da Morte – Parte 1*

RUA DOS ALFENEIROS, Nº 4

O número quatro da rua dos Alfeneiros é a residência dos Dursley — Válter, Petúnia e o filho, Duda — e, para a vergonha deles, do sobrinho de Petúnia, Harry Potter. Como visto em *Pedra Filosofal*, os Dursley fazem Harry dormir no armário debaixo da escada e negam sua herança de bruxo. Mais tarde, Harry descobre que precisava ficar com os Dursley até completar 17 anos como forma de proteção contra Voldemort.

O diretor dos dois primeiros filmes da série, Chris Columbus, declara simplesmente que "a rua dos Alfeneiros tinha que passar a sensação de ser um lugar mau e horrível". A autora J. K. Rowling disse que imaginava a casa nos subúrbios de Surrey, que se desenvolveram, como muitos bairros após a Segunda Guerra Mundial, em uma estrutura na qual casas com aparência idêntica se repetem por ruas curvas e sem saída. Em reunião com os produtores e o diretor de arte Stuart Craig, Columbus queria um lugar "que passasse a sensação de que mataria qualquer criatividade ou originalidade que um morador pudesse ter. Era um lugar que não podia ser bonito para o público, mas que dava uma verdadeira sensação de opressão".

NESTAS PÁGINAS, EM SENTIDO HORÁRIO: *Arte conceitual que retrata as sequências infinitas de casas iguais ao redor da rua dos Alfeneiros; a locação da rua dos Alfeneiros; captura de tela que mostra Harry Potter sendo deixado na rua dos Alfeneiros, nº 4, quando bebê; foto de Picket Post Close em Bracknell.*

O diretor também estava interessado em capturar o desespero da situação de Harry Potter. "Há bem poucos espaços íntimos nos filmes. O armário de Harry debaixo da escada na casa dos tios é um deles", diz Stuart Craig. "E o armário debaixo da escada pareceria ainda mais desesperador se ficasse em uma área ampla e urbana. Esse era o maior contraste possível com o mundo mágico."

Bracknell, um bairro no oeste de Londres, se encaixou perfeitamente, e a gravação do primeiro filme teve início. Para acrescentar à sensação de conformidade, havia a mesma marca de carro estacionada em cada casa. No final das filmagens, a equipe percebeu que não era uma situação muito boa para os moradores. As cenas noturnas exigiam luzes intensas na rua, e corujas voavam por todo lado durante o dia. A equipe sabia que era muito para se pedir aos residentes. "Assim, voltamos para o estúdio [para o segundo filme] e reproduzimos exatamente aquelas casas", diz Craig. E aquela locação, com cinco casas de cada lado da rua, foi usada durante toda a série de filmes. A rua foi aumentada por uma pintura de cenário "de forma infinita, até o horizonte", descreve Craig. "O pedido de Chris era que fosse grande e amplo. E, no centro de tudo, ficava o armário de Harry, embaixo da escada." O armário era tão pequeno que precisou ser construído com paredes removíveis para que fosse filmado de ângulos diferentes.

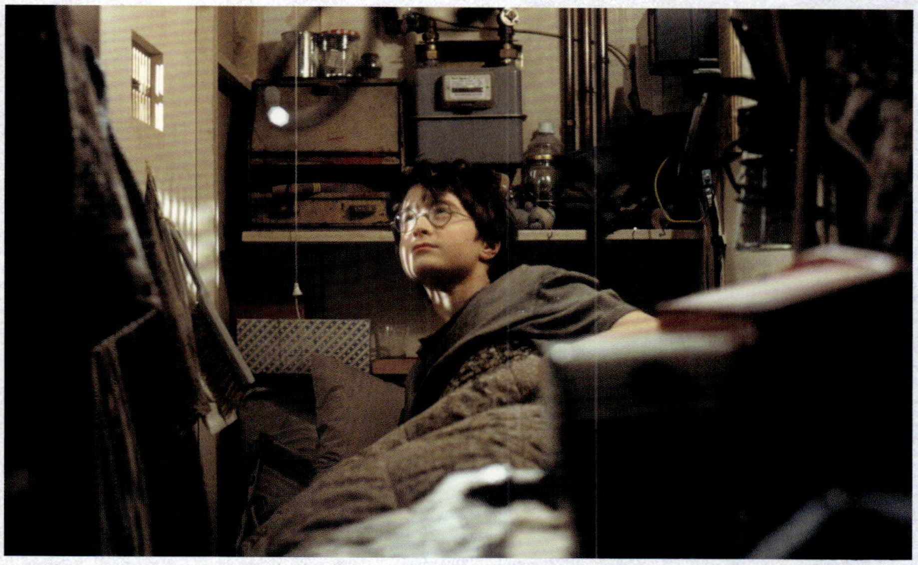

MAIS À ESQUERDA: *Captura de tela que mostra Harry Potter (Daniel Radcliffe) em* Ordem da Fênix. ACIMA: *Harry no armário debaixo da escada em* Pedra Filosofal. ESQUERDA: *A porta do armário.*

NESTA PÁGINA, EM SENTIDO HORÁRIO: *Harry faz o café da manhã para os Dursley enquanto Duda reclama de só ter 36 presentes para abrir em* Harry Potter e a Pedra Filosofal; *fotografias da família Dursley junto a um dos troféus de Duda; um Duda garboso e satisfeito posa com a família; Harry (Daniel Radcliffe) em* Harry Potter e a Câmara Secreta.

O interior da residência dos Dursley contrasta imensamente com o exterior sem graça e sem traços marcantes. "Há um mau gosto insolente ali que nós não repudiamos", admite Craig. "Não é exatamente refinado." Ele já tinha trabalhado com a cenógrafa Stephenie McMillan em vários filmes antes de *Harry Potter* e descreve o gosto dela como requintado. "Fico sempre impressionado com a forma como ela consegue adotar o gosto de outra pessoa — no caso, de Petúnia Dursley — e fazer isso de forma tão bem-sucedida." McMillan observa que eles procuraram "os sofás mais feios; os piores azulejos para a cozinha; a lareira mais espalhafatosa e horrenda", e que a mobília precisava ser de "cores muito feias".

"ELES SÃO O PIOR TIPO IMAGINÁVEL DE TROUXA."

Professora McGonagall, *Harry Potter e a Pedra Filosofal*

A maior parte da mobília foi comprada em lojas em Watford, para as quais McMillan pediu desculpas de brincadeira por qualquer má impressão criada. Uma variedade de fotos de Duda enfeita cada prateleira e superfície, exibindo seu crescimento ao longo dos anos, assim como os certificados de seus feitos duvidosos. Criados pelo departamento gráfico, os certificados proclamam a acuidade de Duda em coisas como "sempre comer o almoço todo", e um documento da Escola Smeltings, que inclui um salmão saltando, parabeniza-o por nadar 5 metros.

Stephenie McMillan procurou mobília burguesa para decorar a casa dos Dursley (acima e à esquerda), com atenção especial para peças de mau gosto, como esta imagem de Duda comendo um cachorro-quente.

F B

CAPÍTULO 2

BECO DIAGONAL

O CALDEIRÃO FURADO

Em *Harry Potter e a Pedra Filosofal*, Rúbeo Hagrid leva Harry ao Caldeirão Furado, um bar e hospedaria em Londres, e revela que é a entrada para o Beco Diagonal e para o mundo mágico. Por trás de uma porta comum encontra-se uma área ampla de jantar complementada por uma enorme lareira que arde sob um arco no estilo Tudor. No bar, paredes interiores de tijolo com reboco são emolduradas por longas vigas de madeira e altas janelas góticas. Um quadro-negro informa o cardápio do almoço, que inclui porco assado, torta de ave de caça e picles de enguia.

Harry volta ao Caldeirão Furado depois de pegar o Nôitibus Andante em *Prisioneiro de Azkaban*, onde passa a noite antes de partir para Hogwarts. Enquanto está ali, Harry conhece o Ministro da Magia, Cornélio Fudge, em uma sala particular, envolta em painéis escuros de madeira antiga que caracterizam o estilo Tudor. Harry fica no segundo andar, no quarto 11, que tem paredes brancas simples e uma cama com cabeceira e moldura entalhadas. "O quarto e a cama Tudor foram uma escolha deliberada para reforçar a ideia de que o mundo mágico tem uma escala temporal distinta", diz Stuart Craig. A vista da janela é do Borough Market de Londres e das torres da Catedral de Southwark.

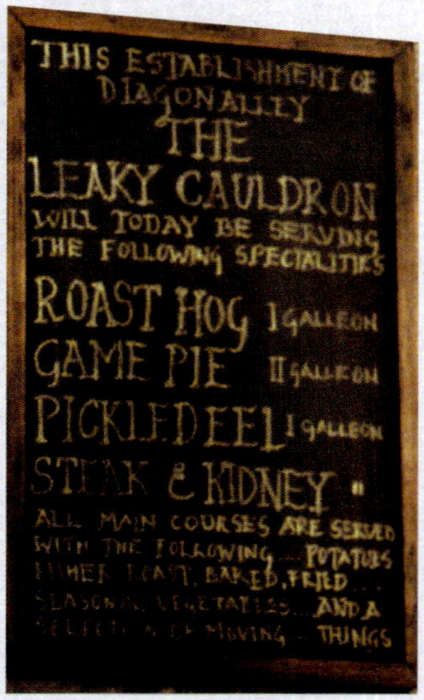

OCUPANTES: Tom, o dono; bruxas e bruxos visitantes

LOCAÇÃO DE FILMAGEM: Leavesden Studios

APARIÇÕES: *Harry Potter e a Pedra Filosofal, Harry Potter e o Prisioneiro de Azkaban*

O corredor em que a camareira tenta oferecer serviço de quarto foi criado usando perspectiva forçada, uma técnica consagrada comum em decorações de cenário, que comprime alturas relativas para fazer lugares parecerem mais altos ou mais longos. Onde há, na realidade, um corredor de mais ou menos 3 metros, cria-se a ilusão de 15 metros. Assim como com tantos efeitos visuais nos filmes de *Harry Potter*, as soluções práticas foram tão usadas quanto as geradas por computador, e, como Craig descreve, "isso foi bem menos caro e muito mais divertido".

NESTAS PÁGINAS, EM SENTIDO HORÁRIO: *Arte conceitual do exterior do Caldeirão Furado feita por Andrew Williamson, criada para* Harry Potter e o Prisioneiro de Azkaban*; duas imagens do cenário do Caldeirão Furado; a área de jantar como aparece em* Harry Potter e o Prisioneiro de Azkaban*; outros destaques do cenário do Caldeirão Furado, incluindo a sinalização, a mesa usada por Cornélio Fudge e um cardápio do bar.*

"OUVIU ISSO, ERNESTO? O CALDEIRÃO FURADO. FICA EM LONDRES."

Lalau Shunpike, *Harry Potter e o Prisioneiro de Azkaban*

BECO DIAGONAL

Nos filmes, o Beco Diagonal é o primeiro contato de Harry com o mundo mágico, assim como o dos espectadores dos filmes. Aqui, as mais novas vassouras de quadribol estão à venda, autores bruxos dão autógrafos e jovens alunos de Hogwarts podem comprar a lista de material: caldeirões, penas, vestes, varinhas e talvez uma coruja, um sapo ou um rato.

"O Beco Diagonal foi um dos primeiros cenários que criamos para *Harry Potter e a Pedra Filosofal*", relembra Stuart Craig. "Começamos com a ideia de uma rua estilo Dickens." Durante a pesquisa sobre a época, Craig reparou que os prédios tinham uma inclinação estrutural interessante. "A arquitetura vitoriana inicial tinha uma *angulação* que desafiava a gravidade. Assim, começamos a explorar a ideia de uma arquitetura tão inclinada que pareceria estar despencando." Ele também acrescentou elementos

NESTAS PÁGINAS, EM SENTIDO HORÁRIO: *Frequentadores do Beco Diagonal se reúnem perto da loja Animais Mágicos em uma cena de* Harry Potter e a Pedra Filosofal; *imagens do cenário do Beco Diagonal, incluindo as fachadas da Loja de Doces Ameixa Açucarada e do Empório das Corujas; Hagrid e Harry seguem pelo beco em* Harry Potter e a Pedra Filosofal; *um desenho que mostra a entrada de Gringotes.*

"BEM-VINDO, HARRY, AO BECO DIAGONAL."

Rúbeo Hagrid, *Harry Potter e a Pedra Filosofal.*

dos estilos Tudor, georgiano e rainha Anne para obter uma mistura arquitetônica única. Depois, o diretor Chris Columbus e Stuart Craig percorreram as ruas de Londres em busca de locações práticas para filmar o Beco Diagonal. "Esperávamos que ainda existissem lugares que realmente se parecessem com o mundo de Dickens em alguma parte de Londres, mas há bem poucos", explica Columbus. "E, se um lugar tinha essa aparência, também exibia alguma coisa moderna, como uma cabine telefônica ou um mercado. Poderíamos ter tentado contornar, mas, para ter a ideia realmente completa, concluímos que teríamos que construir."

Craig sentia que o mundo mágico não se preocuparia demais com imperfeições e ninguém se importaria com casas que pareciam estar sustentando umas às outras. "Nós queríamos um abandono decadente e antigo. Nada muito arrumado nem ajeitado. O local tem toda a personalidade que poderíamos dar a ele." Chris Columbus queria que a rua passasse a sensação não só de existir há centenas de anos, mas "de que continuasse por uma eternidade". Craig realizou esse desejo com o uso de perspectiva forçada e fundos pintados.

Quando a aparência e o design da rua foram determinados, a cenógrafa Stephenie McMillan e sua equipe assumiram a tarefa de encher as lojas com vassouras, caldeirões e outras necessidades mágicas. Para isso, e ao longo de toda a série de filmes, McMillan e os assistentes percorreram lojas de antiguidades, leilões e mercados de pulgas, além de contarem com o auxílio de criadores de adereços para a elaboração de tudo de que precisavam. Para o Beco Diagonal, "pegamos os nomes das lojas nos livros, e todos os objetos mencionados, e então expandimos com base nisso", diz McMillan. Era comum um item comprado ser duplicado pela equipe de adereços para criar o estoque necessário. "Havia muita coisa a ser acumulada", diz McMillan, rindo. Felizmente, sua

NESTAS PÁGINAS: *Imagens do cenário do Beco Diagonal, incluindo mercadorias sobre os barris e as fachadas da Floreios e Borrões, da Sorveteria Florean Fortescue e da Farmácia Slug & Jiggers.*

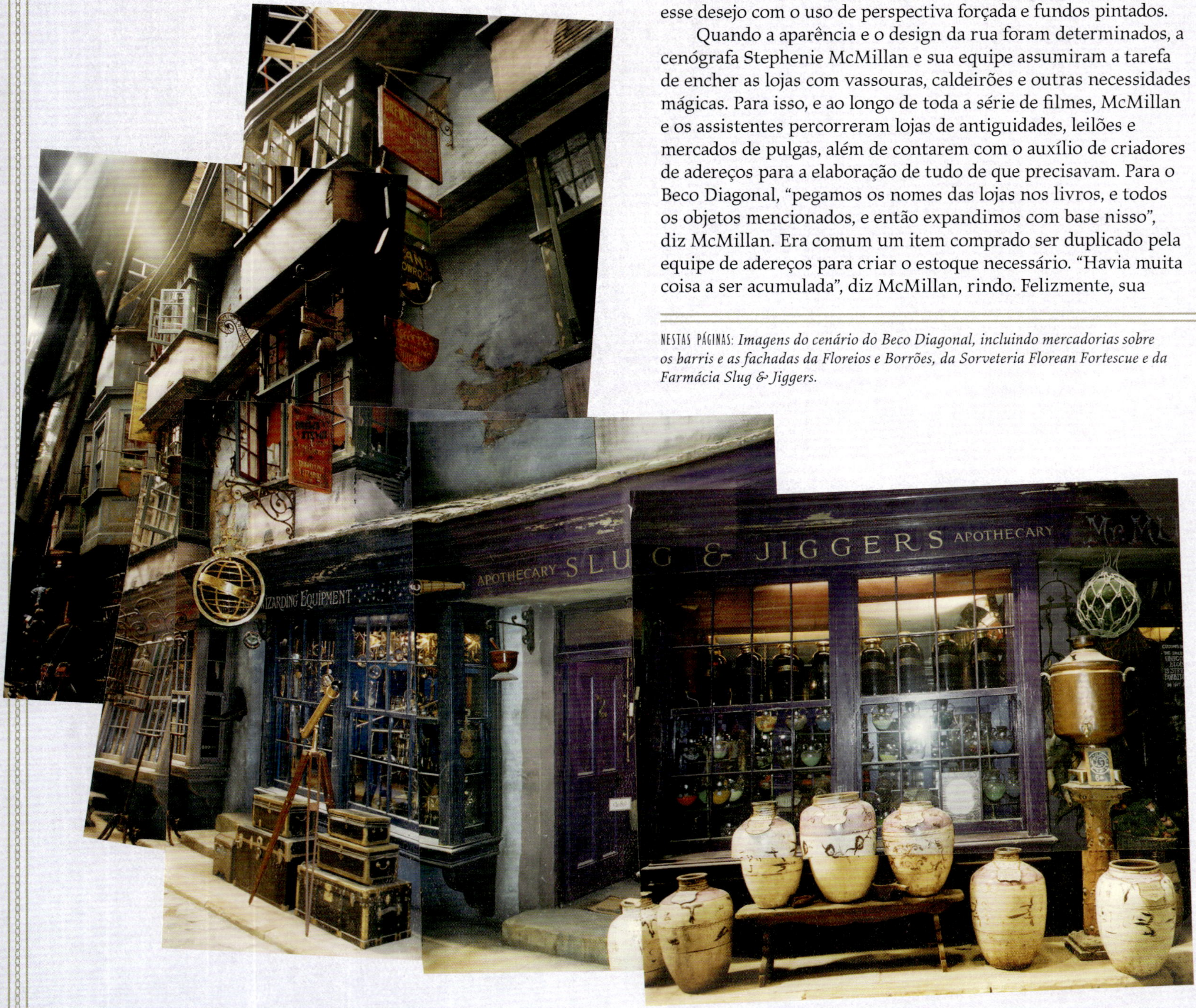

OCUPANTES: bruxos, bruxas, duendes, todo tipo de pessoas e animais mágicos

LOJAS: Empório das Corujas, Loja de Caldeirões, Madame Malkin — Roupas para Todas as Ocasiões, Artigos de Qualidade para Quadribol, Floreios e Borrões, Banco Gringotes, Farmácia Mullpeppers, Olivaras, Gemialidades Weasley

LOCAÇÃO DE FILMAGEM: Leavesden Studios

APARIÇÕES: *Harry Potter e a Pedra Filosofal, Harry Potter e a Câmara Secreta, Harry Potter e o Enigma do Príncipe, Harry Potter e as Relíquias da Morte – Parte 2*

SUPPLIES

assistente, uma fã ardorosa de *Harry Potter*, tomou como missão catalogar tudo com a precisão "de uma operação militar", acrescenta McMillan. Os compradores de adereços que procuravam na cidade e no campo receberam a recomendação de não explicar por que precisavam de tantos potes, livros e gaiolas de corujas. Uma compradora que arrebatara uma quantidade estranhamente grande de vassouras falou para o dono da loja que tinha muita coisa para varrer.

Arrumar o cenário foi uma aventura. Pilhas de caldeirões se equilibram em frente à Loja de Caldeirões; vassouras literalmente pairam ao lado da Artigos de Qualidade para Quadribol. A Farmácia Mullpeppers, uma loja de poções criada para os filmes e videogames, foi construída com estantes de 3 metros de largura e 7,50 metros de altura. "Apenas um funcionário da equipe de adereços podia arrumá-la de cada vez, e ele precisava de uma plataforma elevatória para alcançar todas as prateleiras", explica McMillan.

A paixão na construção do Beco Diagonal e a atenção aos detalhes foram recompensadas quando a autora J. K. Rowling fez uma visita ao cenário. "Eu não estava presente, mas me contaram que ela ficou olhando quase com lágrimas nos olhos porque estava igual ao que ela imaginara no livro", diz McMillan. Chris Columbus admitiu que ficou um pouco nervoso antes de passear pelo set com Rowling, mas "levei-a pelo Beco Diagonal e ela adorou".

NESTAS PÁGINAS: *O cenário da Artigos de Qualidade para Quadribol foi preenchido meticulosamente com vassouras, bandeiras e uniformes.*

BANCO GRINGOTES

Em *Harry Potter e a Pedra Filosofal*, Hagrid leva Harry ao banco Gringotes para tirar dinheiro e comprar a lista de material do seu primeiro ano em Hogwarts. Dirigido por duendes, Gringotes é, na parte acima do chão, um prédio impressionante de três andares. Mas abaixo do saguão principal de mármore há um subsolo repleto de cofres subterrâneos, sendo que os mais antigos e mais protegidos ficam nos níveis mais profundos. O acesso aos cofres se dá por trilhos cheios de curvas pelos quais se viaja em carrinhos. Stuart Craig queria que Gringotes exemplificasse os melhores atributos de um banco. "Bancos são tradicionalmente símbolos de estabilidade", explica ele. "Essa é a intenção da arquitetura do banco: transmitir uma sensação de segurança." Para *Harry Potter e a Pedra Filosofal*, os produtores filmaram em uma locação real, a Australia House, que é a missão estrangeira ocupada continuamente há mais tempo em Londres. O interior estilo Beaux Arts da Australia House deu a Craig as proporções desejadas, que contrastavam perfeitamente com seus ocupantes. "Tudo precisava conspirar para fazer com que os duendes parecessem muito pequenos, e o banco, como bancos costumam ser, digno, sólido e importante", diz ele. "Assim, o saguão de nosso banco, como muitos outros, é feito de mármore e tem grandes colunas desse material." Foram criadas mesas para ladear o saguão, além de livros, penas e moedas de metal: nuques, sicles e galeões, que frequentemente desapareciam no set. Os cofres inferiores foram construídos no estúdio e estendidos visualmente com pinturas de fundo e efeitos especiais. O mecanismo intrincado que estala e se move ao destrancar a porta do cofre 687, em *Pedra Filosofal*, e do cofre dos Lestrange, em *Relíquias da Morte – Parte 2*, foi um efeito criado por Mark Bullimore, que também criou a porta trancada com cobras da Câmara Secreta.

NESTAS PÁGINAS, EM SENTIDO HORÁRIO: *Nuques, sicles e galeões elaborados para os filmes; arte conceitual que retrata um dos carrinhos de Gringotes; recibos detalhados foram criados como adereços; tela azul foi usada no cenário em* Harry Potter e a Pedra Filosofal *para filmar o carrinho seguindo pelo trilho; bancários duendes trabalhando em uma cena de* Harry Potter e as Relíquias da Morte – Parte 2.

"BEM, SEU DINHEIRO ESTÁ AÍ, HARRY. EM GRINGOTES, O BANCO BRUXO. NÃO TEM LUGAR MAIS SEGURO, NENHUM, EXCETO TALVEZ HOGWARTS."

Rúbeo Hagrid, *Harry Potter e a Pedra Filosofal*

OCUPANTES: duendes

LOCAÇÕES DE FILMAGEM: Australia House, The Strand, Londres, Inglaterra; Leavesden Studios

APARIÇÕES: *Harry Potter e a Pedra Filosofal*, *Harry Potter e as Relíquias da Morte – Parte 2*

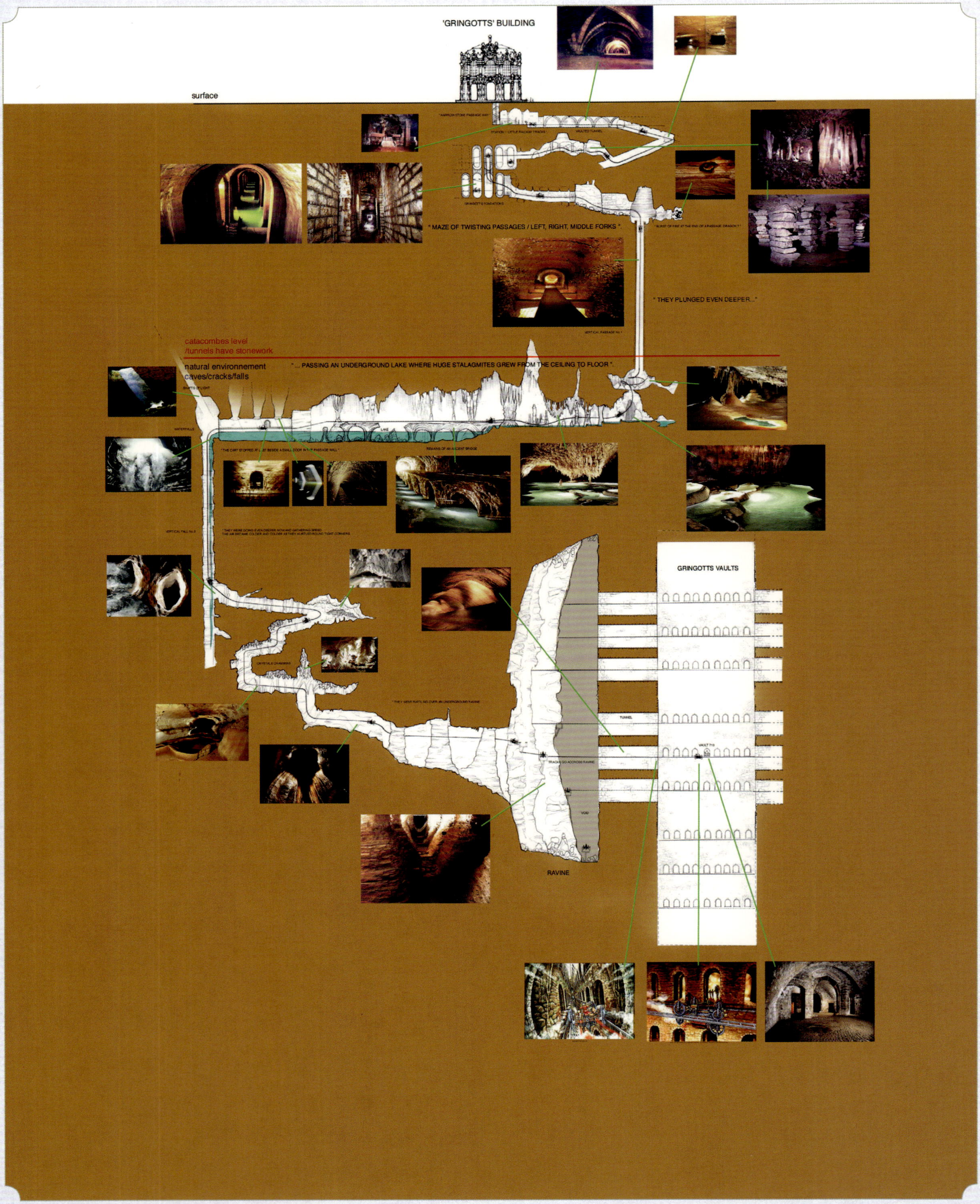
'GRINGOTTS' BUILDING
surface
" MAZE OF TWISTING PASSAGES / LEFT, RIGHT, MIDDLE FORKS ".
" THEY PLUNGED EVEN DEEPER..."
catacombes level
/tunnels have stonework
natural environnement
caves/cracks/falls
"... PASSING AN UNDERGROUND LAKE WHERE HUGE STALAGMITES GREW FROM THE CEILING TO FLOOR ".
GRINGOTTS VAULTS
RAVINE

Harry volta a Gringotes com Rony Weasley, Hermione Granger e o duende Grampo em *Harry Potter e as Relíquias da Morte – Parte 2*, na tentativa de pegar uma Horcrux do cofre dos Lestrange, durante a qual o banco é parcialmente destruído por um dragão em fuga. "Ele arrebenta as correntes, destrói o alto da caverna dezenas de metros acima, quebra o saguão do banco e voa pelo telhado de vidro. Obviamente, nós não podíamos voltar para a Australia House", diz Craig com um sorriso, e assim o banco foi duplicado em Leavesden Studios. Para essa sequência, as colunas e o piso de mármore foram construídos usando papel. "Tínhamos uma considerável fábrica de mármore falso", segundo ele, que funcionou como óleo em água, literalmente. Para fazer mármore de papel, tinta a óleo é girada em cima de um recipiente grande e quadrado contendo água, depois um papel especial é colocado por cima. "Quando você puxa o papel, a tinta a óleo grudada nele fica bastante parecida com os desenhos do mármore. Só é preciso uma finalização com pincéis", explica Craig. A equipe de design também utilizou grandes impressoras digitais que faziam cópias do papel marmorizado em larguras de até 4 metros. Os lustres, cada um com 4 metros de diâmetro, receberam milhares de "cristais", moldados por injeção, que foram cuidadosamente presos seguindo uma ordem precisa. No entanto, ele admite, "eles deviam medir 5 metros de alto a baixo. Fizemos a parte de baixo fisicamente e, depois, a parte do alto foi gerada por computador". Os adereços dos funcionários do banco, balanças e mesas foram tirados do depósito. As mesas receberam uma nova pintura e foram ligeiramente redesenhadas. Daquela vez, as moedas de metal originais foram feitas de plástico e coladas em pilhas.

ANTERIOR: *Um diagrama criado para* Harry Potter e a Pedra Filosofal *mostra os túneis labirínticos de Gringotes e explica como os carrinhos (no alto e à direita) se deslocam até os cofres.* ACIMA: *A arte conceitual de Paul Catling mostra o dragão fugindo pelo domo de Gringotes.*

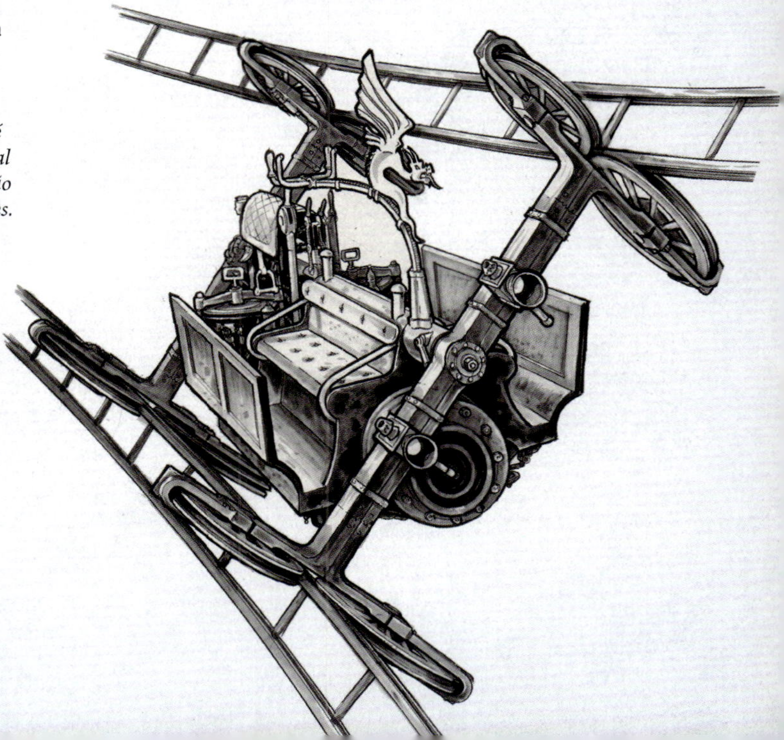

OCUPANTE: Sr. Olivaras

LOCAÇÃO DE FILMAGEM: Leavesden Studios

APARIÇÕES: *Harry Potter e a Pedra Filosofal, Harry Potter e o Enigma do Príncipe*

OLIVARAS

Todo bruxo precisa ter uma varinha, portanto, em sua primeira visita ao Beco Diagonal em *Harry Potter e a Pedra Filosofal*, Harry vai à Olivaras, "Artesãos de Varinhas de Qualidade desde 382 a.C.".

Mais de 17 mil caixas de varinhas foram empilhadas, amontoadas, entulhadas e enfiadas por todo o cenário da loja para *Pedra Filosofal*, algumas em prateleiras que chegavam a 5,20 metros de altura. As caixas mais altas de varinhas só podiam ser alcançadas por escadas deslizantes de 3,70 metros. Cada caixa recebeu individualmente um rótulo com informações sobre o núcleo da varinha, o tipo de madeira ou outros dados identificadores em runas, alfabetos e estilos de escrita de muitas eras e países diferentes. Algumas até tinham borlas ou cordões pendurados. Depois, as caixas foram envelhecidas e cobertas de poeira para dar a impressão de que o estoque de varinhas de Olivaras estava ali havia muito tempo, cada uma esperando o momento de escolher sua bruxa ou bruxo.

Stuart Craig gostou da personalidade do cenário da Olivaras. "É denso e compacto: rico em detalhes e bem modesto em tamanho." O sucesso do cenário escuro, com uso extenso de vários tons de preto, encorajou Craig quando ele criava outros locais similarmente escuros e cheios de sombras. "A mobília e todas as peças de madeira foram pintadas com um efeito de ébano: literalmente, tinta preta sobre carvalho, esfregada depois para que os grânulos da madeira pudessem aparecer. Antiguidades, particularmente as jacobitas, são assim, e acho que as empregamos em todos os filmes conseguindo bons efeitos."

ACIMA: *A fachada de ébano escuro da Olivaras.* POSTERIOR: *O Sr. Olivaras (John Hurt) procura a varinha certa para o jovem Harry Potter em* Harry Potter e a Pedra Filosofal.

"UMA VARINHA? AH, VOCÊ TEM QUE IR À OLIVARAS. NÃO TEM LUGAR MELHOR."

Rúbeo Hagrid, *Harry Potter e a Pedra Filosofal*

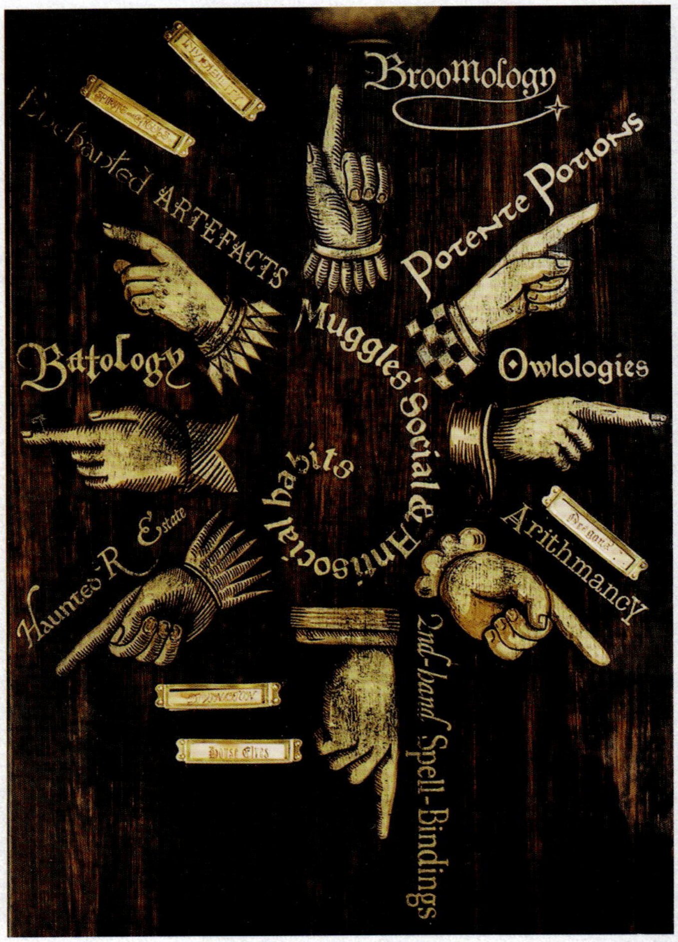

"QUE MOMENTO EXTRAORDINÁRIO FOI ESSE EM QUE O JOVEM HARRY ENTROU NA FLOREIOS E BORRÕES ESTA MANHÃ PARA COMPRAR MEU LIVRO AUTOBIOGRÁFICO *O MEU EU MÁGICO*."

Gilderoy Lockhart, *Harry Potter e a Câmara Secreta*

FLOREIOS E BORRÕES

A Floreios e Borrões é uma loja de bruxos em que, entre outros, os alunos podem comprar seus livros--texto para cada ano em Hogwarts. Em *Harry Potter e a Câmara Secreta*, a Floreios e Borrões recebe uma sessão de autógrafos da publicação de *O meu eu mágico*, de Gilderoy Lockhart, com o comparecimento de muitas famílias bruxas, inclusive os Weasley e os Malfoy.

Enquanto o exterior da Floreios e Borrões é de uma simples "livraria", a decoração interior complementa a estética que Stuart Craig criou para o Beco Diagonal, com "espirais de livros ligeiramente impossíveis, que não se encaixam nas leis da física e no mundo natural", explica ele. "Acho que funciona melhor para a magia se te pegar de surpresa. Quando você entra em um ambiente, pensa que o entende. Mas, se algo estranho e mágico cresce disso, o elemento surpresa é grande." O cenário da Floreios e Borrões foi, na verdade, uma recomposição da Olivaras.

A decoração do cenário e o departamento gráfico incrementaram a loja com sinalização dourada apontando para seções de aritmancia, invisibilidade e bruxaria histórica. As estantes também guardavam de forma desordenada livros sobre as "ologias": batologia, corujologia e vassourologia, assim como bem-estar das varinhas e manutenção das vassouras, hábitos históricos e sociais dos trouxas e "elfos e segurança". O departamento gráfico, liderado por Miraphora Mina e Eduardo Lima, criou os livros de todos os filmes, fazendo capas de tecido e couro em tons marrom-escuros, com páginas de bordas douradas. Mina e Lima foram informados por J. K. Rowling de que os livros de Lockhart deveriam ser tratados mais como "romances vagabundos de aeroporto" e, assim, seus livros ganharam capas de couro obviamente falso em cores berrantes e brilhantes.

ACIMA: *A fachada da Floreios e Borrões e a sinalização dourada.* POSTERIOR: *Uma barra de metal curva foi passada por buracos feitos nos livros para dar às pilhas que iam do chão ao teto a inclinação desafiadora da gravidade.*

OCUPANTES: livros, livros e mais livros

LOCAÇÃO DE FILMAGEM: Leavesden Studios

APARIÇÕES: *Harry Potter e a Câmera Secreta, Harry Potter e o Enigma do Príncipe*

IN
PERSON!
WIZARD WELL-BEING
INVISIBILITY
GILDEROY LOCKHART

GEMIALIDADES WEASLEY

Fred e Jorge Weasley abrem uma loja no Beco Diagonal em *Harry Potter e o Enigma do Príncipe*, a Gemialidades Weasley, que vende produtos para pegadinhas, poções do amor, produtos de magia defensiva, o kit mata-aula — criação deles —, entre vários outros itens mágicos. O prédio alto e pintado de roxo tem na parte da frente uma figura em movimento, com 6 metros de altura, de um dos gêmeos usando a tradicional cor laranja dos Weasley. Ainda se discute qual dos irmãos foi o modelo: o ator James Phelps (Fred Weasley) alega que foi ele "porque sou o mais bonito", mas o ator Oliver Phelps (Jorge Weasley) insiste que foi ele porque "meu rosto é o mais engraçado". A estátua tem olhos e sobrancelhas que se movem, além de levantar e abaixar uma cartola que cobre um coelho que aparece e desaparece, a primeira de muitas brincadeiras com piadas trouxas na loja.

No filme, o prédio alto se destaca no Beco Diagonal, não só porque a maior parte das lojas da rua tinha sido recentemente destruída por Comensais da Morte, mas porque contrasta com a paleta de cores escolhida pela produção. Stuart Craig sempre tenta encontrar formas de deixar os cenários coesos e, para o Beco Diagonal, limitou o número de cores. "No caso da loja dos Weasley, precisamos romper com essa prática, então a deixamos mais colorida e mais clara que qualquer outra coisa que fizemos. A loja precisava se destacar", explica Craig.

A loja de três andares tem prateleiras lotadas de milhares de caixas, frascos e pacotes, todos com rótulos feitos pelo departamento gráfico. "No começo, nossos papéis e designs eram bonitos e delicados", relembra Miraphora Mina. "Mas Stuart perguntou: 'Vocês podem deixar com qualidade mais inferior?' Assim, olhamos embalagens de fogos de artifício e bombinhas, porque são baratos, descartáveis e a impressão sempre está errada." O departamento gráfico digitalizou texturas e cores que, Eduardo Lima acrescenta, "nem sempre saem do jeito que você quer, principalmente no papel vagabundo que usamos, o que para nós foi vantagem". Os artistas também foram a lojas que vendiam itens kitsch e voltaram com latas e outros recipientes que quase sempre alteravam e acrescentavam ao estoque. "Acho que criamos 140 designs de produto diferentes", diz Lima. "Depois, precisamos fazer duzentas cópias de um item, quatrocentas de outro, até mesmo duas mil de alguns", relembra Mina. "Tudo feito

ESQUERDA: *Arte conceitual da estátua em movimento na frente da loja Gemialidades Weasley.* ACIMA: *A retirada do chapéu revela um coelho.* DIREITA: *O cenário colorido e carregado da Gemialidades Weasley.*

MAGIC TRICKS
HERE
SHENANIGANS

por nossa equipe local. Como elfos." Além das semanas necessárias para criar todos os itens, foram preciso várias outras para ocupar as prateleiras. O departamento gráfico também criou sacolas de compras, formulários de pedido, recibos e toda a sinalização da loja.

Vários displays e dispensadores contribuíram para a diversão. O designer conceitual Adam Brockbank se inspirou nos brinquedos berrantes e em figuras rudimentarmente esculpidas que eram usadas para doações de caridade em frente às lojas britânicas nos anos 1950. "Tem o Infalível Removedor de Espinhas em 10 Segundos como creme contra espinhas, então pensamos 'Que tal uma cabeça em que as espinhas surjam e desapareçam?'", explica Brockbank. A cabeça foi elaborada pelo criador de adereços Pierre Bohanna e sua equipe, que também fizeram o dispensador de 2 metros de Vomitilhas. "Queríamos que fosse ao mesmo tempo engraçado e nojento", diz Brockbank. "Era uma garota vomitando um fluxo infinito de Vomitilhas em um balde, assim você pode colocar um copo embaixo até enchê-lo e então pagar." O departamento de Pierre Bohanna também criou milhares de pastilhas verdes e roxas para serem "vomitadas", além de numerosos Nugá Sangra-nariz, Fantasias Debilitantes e Febricolate. James Phelps (Fred Weasley) diz: "O cenário da Gemialidades Weasley tinha tanta coisa que dava para passar três dias ali e não ver tudo."

"ENTREM, ENTREM. TEMOS FANTASIAS DEBILITANTES, NUGÁ SANGRA-NARIZ E, BEM A TEMPO DE SEREM LEVADAS PARA A ESCOLA, VOMITILHAS."

Fred e Jorge Weasley, *Harry Potter e o Enigma do Príncipe*

ALTO: *Hermione (Emma Watson) e Gina (Bonnie Wright) examinam poções do amor.* ACIMA E POSTERIOR: *Dispensadores grandes, elaborados e interativos foram criados para o cenário da Gemialidades Weasley.* ESQUERDA: *Uma imagem do carrinho de nozes "torradas por dragão" colocado em frente à loja.*

Weasleys'
PUKING
PASTILLES

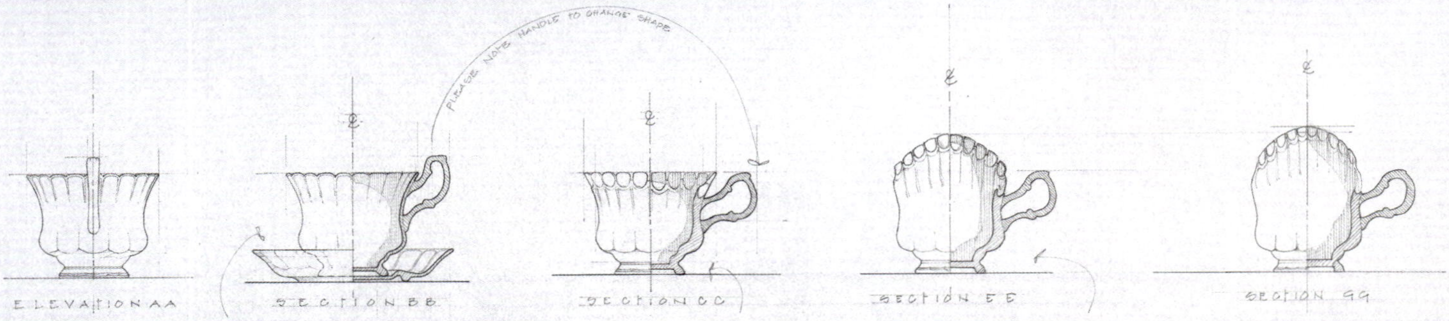

NESTA PÁGINA: *Vistas e displays de produtos do cenário da Gemialidades Weasley.*

OCUPANTES:
Fred Weasley,
Jorge Weasley

LOCAÇÃO DE FILMAGEM:
Leavesden Studios

APARIÇÃO:
Harry Potter e o Enigma do Príncipe

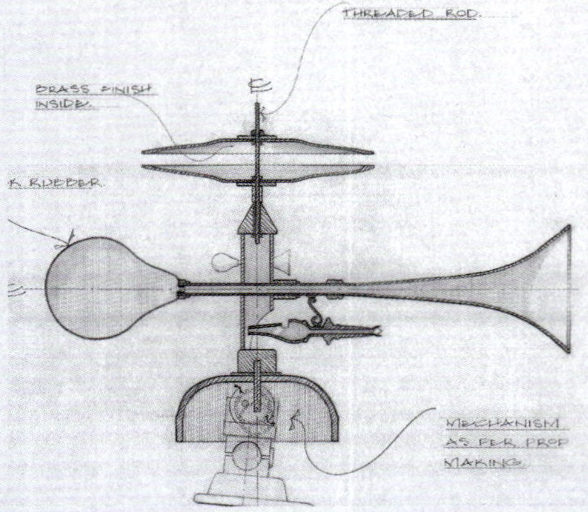

HOSPITAL ST. MUNGUS PARA DOENÇAS E ACIDENTES MÁGICOS

Como acontece com frequência, há lugares e cenas descritos nos livros que são incluídos nos roteiros, mas depois não chegam a aparecer nas telas. Para as cenas de *Harry Potter e a Ordem da Fênix* em que Arthur Weasley é atacado por Nagini, a cobra de Voldemort, foi criada a arte de desenvolvimento visual do St. Mungus, mas as cenas foram cortadas do roteiro final.

NESTA PÁGINA, EM SENTIDO HORÁRIO: *Nas artes conceituais de Adam Brockbank, um elfo doméstico de uniforme hospitalar limpa o chão, jogadores de quadribol acompanham um companheiro ferido e doenças estranhas afligem quem está na sala de espera.*

CAPÍTULO 3

ESTAÇÃO DE KING'S CROSS

ESTAÇÃO DE KING'S CROSS

A estação de King's Cross é o ponto de embarque do Expresso de Hogwarts em Londres, que transporta os alunos para a Escola de Magia e Bruxaria de Hogwarts. Vista pela primeira vez em *Harry Potter e a Pedra Filosofal*, a estação de King's Cross, construída na era vitoriana, apresenta dois abrigos de trens de 250 metros de comprimento com tetos em abóbada de berço que sobem a mais de 20 metros de altura. A estação é tão ampla que faz até Hagrid parecer pequeno quando ele e Harry param em uma das passarelas, onde Hagrid entrega a Harry a passagem para o Expresso de Hogwarts. Para *Harry Potter e a Ordem da Fênix*, Stuart Craig preferiu situar a cena em que os Weasley levam Harry até a estação no exterior mais elaborado da estação de St. Pancras, vizinha de King's Cross, em vez de usar a frente mais simples desta. Ali dentro, Harry mais uma vez atravessa a passarela, desta vez acompanhado de Sirius Black em sua forma de animago, um cachorro preto, quando ele leva Harry para começar um novo ano letivo.

Em *Harry Potter e as Relíquias da Morte – Parte 2*, Harry se vê em uma versão fantasiosa e improvável da estação, onde encontra Alvo Dumbledore. O interior da estação de King's Cross, possivelmente só imaginado na mente de Harry, é reinventado em branco reluzente. A estação foi praticamente toda idealizada pela equipe de efeitos especiais. Daniel Radcliffe (Harry Potter) e Michael Gambon (Alvo Dumbledore) filmaram a cena em um palco branco

"SEU TREM SAI EM DEZ MINUTOS. AQUI ESTÁ SUA PASSAGEM. GUARDE COM CUIDADO, HARRY, É MUITO IMPORTANTE. GUARDE SUA PASSAGEM."

Rúbeo Hagrid, *Harry Potter e a Pedra Filosofal*

em vez de tela verde, o que permitiu efeitos de iluminação apurados. A ideia inicial dos produtores era fazer a estação parecer quase um palácio de gelo, mas, quando renderizada, não passou o ambiente emotivo que todos queriam. A equipe de efeitos especiais voltou para o quadro de desenhos (ou melhor, para o computador) e começou a partir de um conceito mais simples. Em vez de recriar a estação com detalhes realistas, eles removeram as paredes e arcos, deixando o telhado, as colunas e a plataforma, para dar a sensação de infinito etéreo. Uma linha de horizonte reluzente, que acrescentou uma fonte de luz adicional, e uma névoa dimensional foram adicionadas. Satisfeitos com o resultado, os produtores e o diretor pediram mais uma coisa: bem sutilmente, as colunas ganham e perdem opacidade, para aumentar a sensação de outro mundo.

OCUPANTES: alunos de Hogwarts e suas famílias

LOCAÇÕES DE FILMAGEM: estações de King's Cross e St. Pancras, Londres, Inglaterra

APARIÇÕES: *Harry Potter e a Pedra Filosofal, Harry Potter e a Câmara Secreta, Harry Potter e a Ordem da Fênix, Harry Potter e as Relíquias da Morte – Parte 2*

ALTO: *Arte conceitual da estação de King's Cross reluzente e branca vista perto do final de* Harry Potter e as Relíquias da Morte – Parte 2. ACIMA: *Harry Potter (Daniel Radcliffe) e Alvo Dumbledore (Michael Gambon) na estação de King's Cross em* Harry Potter e as Relíquias da Morte – Parte 2. ANTERIOR: *Harry se aproxima do Expresso de Hogwarts na plataforma 9 ½ em* Harry Potter e a Pedra Filosofal.

"MAS HAGRID, DEVE HAVER ALGUM ERRO. AQUI DIZ PLATAFORMA NOVE E MEIO. NÃO EXISTE ISSO... EXISTE?"

Harry Potter em *Harry Potter e a Pedra Filosofal*

PLATAFORMA NOVE E MEIO

Depois que Rúbeo Hagrid entrega a Harry a passagem do Expresso de Hogwarts em *Harry Potter e a Pedra Filosofal*, Harry é deixado sozinho para chegar à plataforma 9 ½ por conta própria. Embora encontre as plataformas 9 e 10, ele fica sem saber o que fazer em seguida. Felizmente, a família bruxa Weasley chega e mostra a Harry como passar por uma parede de tijolos para chegar em uma plataforma escondida.

Seria natural supor que os produtores usariam as verdadeiras plataformas 9 e 10 da estação de King's Cross como locação das filmagens. No entanto, como Stuart Craig explica, "as plataformas 9 e 10 não ficam no prédio principal da estação, mas em um pequeno anexo lateral". Craig queria mostrar a arquitetura vitoriana da estação para obter uma imagem forte. "Escolhemos uma plataforma que tinha grandes colunas de tijolos, sob grandes arcos de sustentação que ligavam a outra plataforma, o que dava uma parede substancial para a qual correr para atravessar para o outro lado." A plataforma 9 ½ ficava, na verdade, entre as plataformas 4 e 5.

OCUPANTES: alunos de Hogwarts e suas famílias

LOCAÇÃO DE FILMAGEM: entre as plataformas 4 e 5, estação de King's Cross, Londres, Inglaterra

APARIÇÕES: *Harry Potter e a Pedra Filosofal, Harry Potter e a Câmara Secreta, Harry Potter e o Prisioneiro de Azkaban, Harry Potter e a Ordem da Fênix, Harry Potter e as Relíquias da Morte – Parte 2*

Em todos os filmes, a passagem pela parede até a plataforma foi realizada digitalmente. No entanto, como o diretor de *Pedra Filosofal*, Chris Columbus, preferia usar efeitos práticos sempre que possível, ele mandou fazer uma passagem em uma parede de tijolos no estúdio para Daniel Radcliffe (Harry) entrar correndo pela primeira vez. A locação em King's Cross foi filmada em um domingo, quando a estação estaria menos movimentada. E estava mesmo, até que os passageiros de fim de semana notaram a filmagem. Columbus relembra: "Colocamos o verdadeiro Expresso de Hogwarts nos trilhos da plataforma e substituímos a placa pela da plataforma 9 ½. Houve uma quantidade enorme de visitantes naquele dia que não conseguia acreditar que estava realmente vendo o trem na estação de King's Cross." Em *Harry Potter e as Relíquias da Morte – Parte 2*, dezenove anos depois da formatura de Harry em Hogwarts, ele, Gina, Rony e Hermione voltam à plataforma 9 ½, agora como pais acompanhando os filhos que vão tomar o trem como alunos da escola. Mais uma vez, a plataforma recebeu, além do trem, observadores felizes por perto.

NESTA PÁGINA: *Imagens de* Harry Potter e as Relíquias da Morte – Parte 2 *mostram a geração seguinte de Potter, Weasley e Malfoy se preparando para embarcar no Expresso de Hogwarts.* ANTERIOR, DE CIMA PARA BAIXO: *Malas velhas e surradas foram usadas como adereços; o jovem Harry Potter (Daniel Radcliffe) e Rony Weasley (Rupert Grint) empurram as malas com suas iniciais na plataforma 9 ½ em* Harry Potter e a Pedra Filosofal.

EXPRESSO DE HOGWARTS

O Expresso de Hogwarts aparece em todos os filmes de *Harry Potter*. O trem leva novos e antigos alunos de Londres até Hogsmeade, onde eles terminam a viagem para Hogwarts por outros meios, e depois os transporta de volta a Londres no fim do ano letivo. Para criar o Expresso de Hogwarts, os produtores resgataram uma locomotiva a vapor abandonada chamada *Olton Hall* (nº 5972). Construída em 1937 pela Great Western Railway, *Olton Hall* funcionou até 1963, quando, tristemente, acabou em um ferro velho em Gales do Sul. Depois de ser encontrada em 1997, *Olton Hall* foi completamente restaurada para ser usada em *Harry Potter e a Pedra Filosofal*. O trem foi pintado de carmim, que é a antítese da cor padrão do tradicional Great Western Railway, verde de Brunswick. A locomotiva ganhou placas novas, que então diziam "Castelo de Hogwarts", e puxava quatro vagões British Rail Mark 1. Entre um filme e outro, o trem era usado como trem de turismo entre Scarborough e York, e como Expresso de Shakespeare para Stratford-upon-Avon.

ALTO: *Captura de imagem de uma cena de* Harry Potter e o Enigma do Príncipe, *filmada de um helicóptero.* NO MEIO E À DIREITA: *Sinalização e placas usadas nos trens.* SEGUINTE: *Imagem da locomotiva do Expresso de Hogwarts, anteriormente chamada* Olton Hall *(nº 5972).*

HOGWARTS
EXPRESS
5972
10
A

"ALGUMA COISA DO CARRINHO, MEUS QUERIDOS?"

Bruxa do carrinho, *Harry Potter e a Pedra Filosofal*

As cenas interiores e exteriores do Expresso de Hogwarts não foram filmadas ao mesmo tempo. "Infelizmente, não podíamos filmar as cenas *dentro* de um trem de verdade viajando pela Escócia, então utilizamos filmagens do trem feitas de um helicóptero, depois filmamos as cabines em frente a uma tela verde", observa o diretor de *Harry Potter e a Pedra Filosofal,* Chris Columbus.

O visual das cabines do trem foi influenciado por um dos filmes favoritos de Columbus: *Os reis do iê iê iê*, filmado em 1964 e estrelado pelos Beatles. "Talvez seja meu filme favorito de todos os tempos", diz Columbus. "E eu queria que as cabines fossem exatamente como aquelas que John, Paul, George e Ringo ocupavam no começo do filme. Então Stuart Craig recriou o visual daquele trem."

DIREITA: *A bruxa do carrinho para em frente a uma cabine em* Harry Potter e a Pedra Filosofal. ABAIXO: *Os jovens atores puderam se entupir de doces no cenário.* SEGUINTE, ACIMA: *As cabines antigas e surradas foram resultado de uma decisão consciente do diretor de* Pedra Filosofal, *Chris Columbus.* SEGUINTE, ABAIXO: *O Expresso de Hogwarts passando por uma casa à venda em uma imagem que não foi usada nos filmes.*

OCUPANTES: alunos de Hogwarts, bruxa do carrinho

LOCAÇÃO DE FILMAGEM: *Olton Hall* (nº 5972)

APARIÇÕES: *Harry Potter e a Pedra Filosofal, Harry Potter e a Câmara Secreta, Harry Potter e o Prisioneiro de Azkaban, Harry Potter e o Cálice de Fogo, Harry Potter e a Ordem da Fênix, Harry Potter e o Enigma do Príncipe, Harry Potter e as Relíquias da Morte – Parte 1, Harry Potter e as Relíquias da Morte – Parte 2*

CAPÍTULO 4

CASTELO DE HOGWARTS

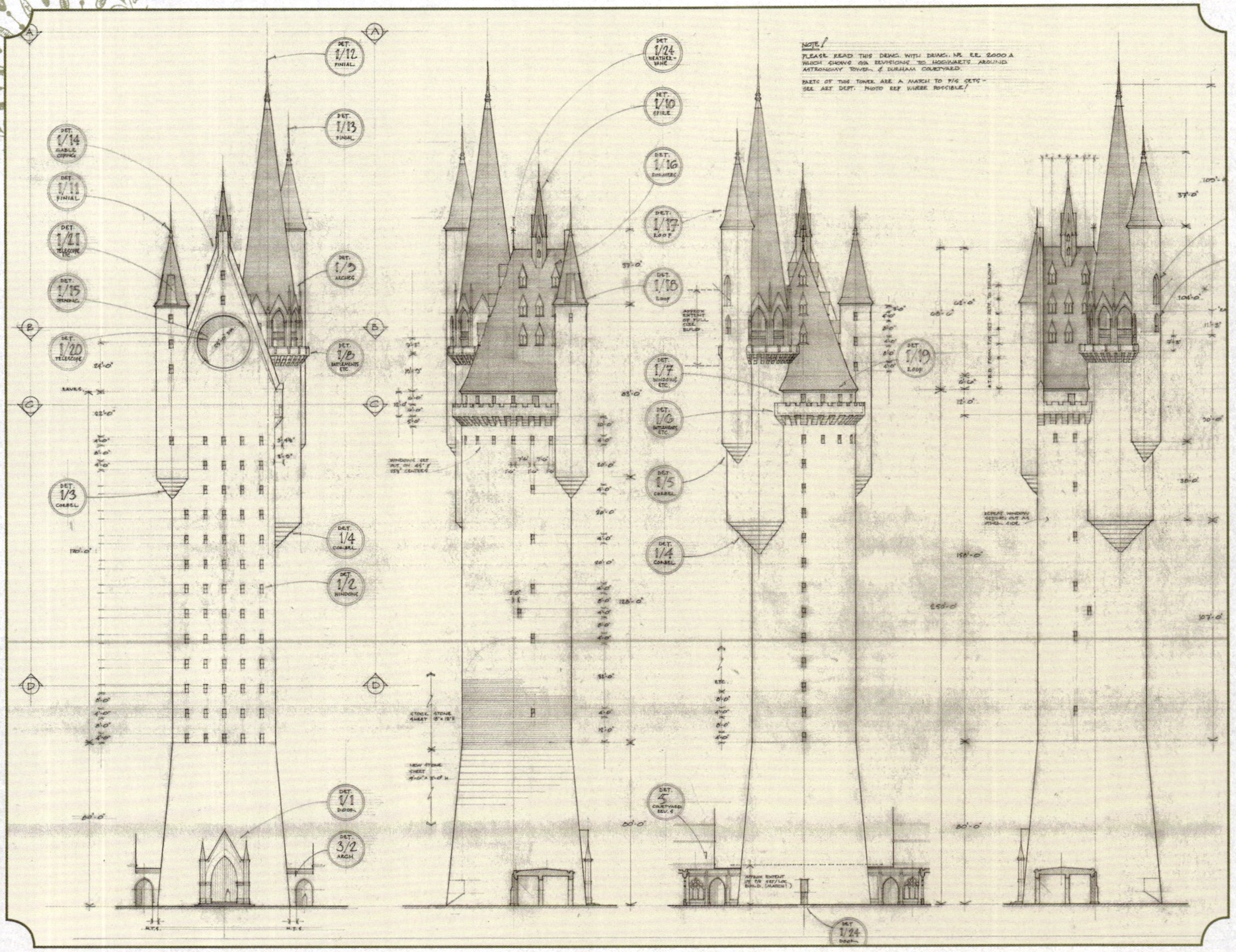

CASTELO DE HOGWARTS

Para o diretor de arte Stuart Craig, levar à tela um dos locais mais icônicos de uma das séries de livros mais populares, lucrativas e influentes começou com uma pergunta. "A primeira e maior questão para mim era: quantos anos tem Hogwarts?", diz Craig. "Os livros sugerem que tem mil anos, uma instituição atemporal, e há bem poucos exemplos de arquitetura tão ancestral assim." Para encontrar as respostas, ele considerou primeiro as duas escolas mais antigas existentes no mundo falante de língua inglesa: as universidades de Oxford e Cambridge, na Inglaterra. "São grandes instituições góticas europeias, com um estilo forte e dramático. No começo, usamos isso literalmente e emulamos esse estilo arquitetônico desde então", explica ele. Craig também pesquisou as grandes catedrais inglesas, e todos esses lugares não só influenciaram os cenários, como também foram locações para filmagem. "Era custoso e nada prático construir o castelo inteiro para os dois primeiros filmes. Mas, conforme seguimos e recriamos locações no estúdio, tivemos a vantagem de sermos obrigados a reconhecer os locais originais em que os cenários são mais reais. Prestamos atenção à autenticidade e aos detalhes arquitetônicos. Documentamos acabamentos de pintura, a ação do tempo e a erosão. Tiramos muitas fotos da forma como os elementos erodiram as pedras dentro e fora daquelas construções antigas e reproduzimos em nossos cenários. Nesse sentido, as locações reais foram de grande utilidade, porque não construímos um mundo completamente fantástico e irreal." Ao longo da série de filmes, Craig voltou repetidamente a essa filosofia de design. "Acho que a magia fica ainda mais forte quando se baseia em uma coisa real."

Com uma risada, Craig reconhece que "o caminho ideal seria poder ler todos os sete livros

ACIMA: *Um esquema em 360 graus que mostra o design da torre do relógio de Hogwarts.* SEGUINTE: *Alunos de Hogwarts seguem a professora McGonagall até o Salão Principal no primeiro filme da série.*

quando começamos. Mas acho que as mudanças e acréscimos a Hogwarts deram um nível de interesse aos filmes. Acho que todo mundo aceita que cada filme tem seu próprio tipo de integridade e que a ideia era mais importante do que erros de continuidade entre os longas". Alguns dos grandes cenários permaneceram iguais por toda a série de filmes, como o Salão Principal, a sala do professor Dumbledore e a sala comunal da Grifinória. "Esses cenários ficaram lá durante dez anos. Ganharam uma camada nova de tinta algumas vezes. Mas ficaram lá por uma eternidade."

Durante oito filmes e dez anos, a cara de Hogwarts mudou, assim como tudo muda conforme envelhece. Craig admite que ficou satisfeito quando teve a oportunidade de modificar partes do castelo. Um exemplo é a entrada principal, que foi inicialmente filmada debaixo do icônico teto abobadado de Christ Church, uma das faculdades de Oxford, em *Harry Potter e a Pedra Filosofal*. "Nos primeiros filmes, os alunos passavam por uma entrada modesta e subiam uma escadaria até o Salão Principal, no primeiro andar. Mas em *Harry Potter e o Cálice de Fogo*, os alunos que iam ao Baile de Inverno precisavam chegar pela porta principal e entrar direto. Não havia lugar para fazer isso em Christ Church. A porta externa ficava em um pátio pequenininho onde não era possível colocar uma carruagem, então a entrada teve que ser reinventada. Nós a reinventamos *amplamente* para o último filme porque o lugar viraria um campo de batalha. Se Voldemort ia desafiar a escola e os alunos iam defendê-la, tudo tinha que acontecer na entrada principal, que não tinha a escala e nem a seriedade de que precisávamos. Assim, nós reinventamos a entrada principal e construímos um pátio enorme, tomando como base o convento da Catedral de Durham, que já tínhamos usado antes."

Craig prossegue: "Quando você olha para o perfil de Hogwarts no primeiro filme, o que vê é uma mistura de locações diferentes. Tem um pouco de Christ Church, um pouco de Durham, um pouco da Catedral de Gloucester, um pouco do castelo Alnwick. Para mim, a silhueta original da escola, que foi obrigada de certa forma a incorporar esses lugares, não ficou do jeito que eu gostaria. Mas, com a continuidade dos filmes, a chance de melhorar e fortalecer a silhueta apareceu, e fiquei bem satisfeito. Sempre foi enorme e complicado, mas foi ficando progressivamente mais elegante."

ACIMA: *Alunos se aproximam do castelo de barco em* Harry Potter e a Pedra Filosofal. NO ALTO, À DIREITA: *Uma vista da ala hospitalar e da estação de Madame Pomfrey.* EMBAIXO, À DIREITA: *A arte conceitual de Adam Brockbank mostra uma vista aérea de Hogwarts no inverno para* Harry Potter e o Cálice de Fogo.

✶ Hogwarts sitiada ✶

Harry Potter e as Relíquias da Morte – Parte 2 apresenta a batalha suprema entre a população de Hogwarts e as Forças das Trevas, e mostra o confronto final entre Harry Potter e Voldemort. A destruição do castelo era tão importante para Stuart Craig quanto sua criação. O diretor de *Relíquias da Morte – Parte 2*, David Yates, queria que a batalha fosse *grande*, e, assim, para o momento final, sempre seguindo a história, Hogwarts passou por uma revisão. "Estávamos criando um lugar para a maior de todas as batalhas", diz Craig. "Então a escadaria de mármore foi aumentada em 500 por cento. O pátio foi duplicado de novo, e pontes e pontos de acesso foram acrescentados. Era necessário que as estátuas pulassem e participassem da batalha, então precisávamos mudar a aparência do saguão de entrada." Craig explica que destruir o castelo não significava apenas derrubá-lo. A ruína precisava ser tão icônica quanto o estado intocável. "As áreas que ficariam danificadas, como o Salão Principal, as escadarias, os telhados, ainda precisavam ser reconhecíveis dentre as pedras caídas e vigas queimadas." Considerações práticas também entraram em jogo. "O cenário é de compensado, portanto,

PÁGINAS ANTERIORES: *A arte conceitual de Andrew Williamson para* Harry Potter e o Enigma do Príncipe *mostra o castelo de Hogwarts ao pôr do sol.* ACIMA E À DIREITA: *Vistas do cenário do castelo de Hogwarts destruído, em produção e durante a filmagem.* ACIMA, NO MEIO: *Uma maquete de papel que mapeia as posições dos defensores e invasores de Hogwarts.* POSTERIOR: *A arte conceitual de Andrew Williamson retrata a batalha de Hogwarts.*

se você tenta destruir uma parte, tem as beiradas irregulares aparecendo. Você vai acabar revelando muito isopor e gesso. Assim, as ruínas de Hogwarts tiveram que ser consideradas uma nova construção, não apenas a destruição da antiga."

Para ajudar na tarefa incrivelmente desafiadora, o modelo completo de Hogwarts foi, pela primeira vez, construído digitalmente pela equipe de efeitos visuais. "Nós digitalizamos o modelo que evoluiu depois do primeiro filme, que nos deu todas as facetas do prédio nas quais trabalhar, e, depois, construímos uma versão destruída da escola", diz Tim Burke, supervisor sênior de efeitos visuais. Ter o modelo em formato digital deu a David Yates a flexibilidade para fazer mudanças ou acrescentar ideias novas que um modelo prático teria impedido. Como é comum no cinema, a filmagem da batalha e de Hogwarts pós-destruição precisava acontecer antes de filmar as cenas pré-batalha. O aderecista Barry Wilkinson e sua equipe criaram milhares de destroços de poliestireno, inclusive fragmentos esculpidos de detalhes arquitetônicos de Hogwarts, que foram espalhados por todo o cenário. "Houve uma cadeia humana de produção de detritos durante meses", descreve Stephenie McMillan. "Detritos nunca são demais." Depois que a filmagem terminou, tudo foi removido. Stuart Craig considerou o cenário desafiador e exigia trabalho árduo. "O confronto final entre Voldemort e Harry no pátio destruído em frente à escola, com o sol subindo atrás e a fumaça vista pelas paredes, é bastante eficiente emocionalmente."

ABAIXO: *Harry Potter se prepara para lutar com Voldemort.* POSTERIOR, DE CIMA PARA BAIXO: *Trazidas à vida pelo feitiço da professora McGonagall, a estátua do centro carrega um escudo com um texugo, símbolo da casa Lufa-Lufa; Rony e Hermione correm pela escadaria de mármore aumentada; os defensores e invasores de Hogwarts se reúnem entre as ruínas em* Harry Potter e as Relíquias da Morte – Parte 2.

"AH, E FIQUE DE OLHO NA ESCADARIA... ELA GOSTA DE SE MOVER."

Percy Weasley, *Harry Potter e a Pedra Filosofal*

GRANDE ESCADARIA

Uma das primeiras tarefas de Stuart Craig para *Harry Potter e a Pedra Filosofal* foi instalar a escadaria que se move entre os andares de Hogwarts. Para começar, ele precisava determinar *como* as escadas se moveriam. Uma das ideias iniciais foi imitar uma escada rolante, mas Craig diz: "Como a escadaria é feita de mármore, parecia um pouco demais!" Ele teve a ideia de uma escada que literalmente se movia em noventa graus de uma posição para a seguinte. "Ela podia encostar em uma parede e seguir pelo espaço para formar uma ponte entre um patamar e outro. Isso pareceu o mais simples sob o ponto de vista mecânico." Ele visualizou a escadaria completa como um quadrado feito de lances de escada dos quatro lados. "Esses lances de escada levavam aos quatro lados de outro quadrado acima, e esse levava aos quatro lados de outro quadrado, e assim por diante. Era como uma hélice dupla; as escadas realmente se juntam e se separam. E esse módulo e movimento mecânicos simples de repente se tornaram uma peça de geometria complicada." O resultado final, quando Harry Potter descobre a escadaria, é de tirar o fôlego. Uma escadaria móvel em *Pedra Filosofal* é o que leva Harry, Rony Weasley e Hermione Granger para o proibido terceiro andar e seu primeiro encontro com Fofo, o cachorro de três cabeças guardião da Pedra Filosofal. Usando um efeito prático, os atores ficaram de pé em uma única escadaria que se movia hidraulicamente em frente a uma tela verde.

A escadaria principal de mármore tinha em suas paredes 250 quadros mágicos, com imagens que se moviam e podiam falar com os alunos. Dar vida a essas imagens envolveu coordenação entre vários departamentos do estúdio. "O diretor de arte responsável pelos adereços de cada filme pesquisava e comunicava quais quadros eram necessários e coordenava sua pintura", explica a cenógrafa Stephenie McMillan. Ao longo da série de filmes, essa tarefa passou para Lucinda Thomson, Alex Walker e Hattie Storey, e envolveu a reinterpretação de pinturas clássicas reais e a criação de novas. Os departamentos de figurino,

ACIMA: *Harry, Rony e Hermione sobem uma escadaria antes de encontrar Fofo em* Harry Potter e a Pedra Filosofal. POSTERIOR, NO ALTO: *Uma maquete de papel da escadaria móvel foi usada para ilustrar o layout dos quadros.* POSTERIOR, EMBAIXO: *Arte conceitual por Andrew Williamson.*

OCUPANTES: alunos e professores de Hogwarts, quadros

INSPIRAÇÃO PARA O CENÁRIO: escadaria da faculdade de Christ Church, Universidade de Oxford, Oxfordshire

APARIÇÕES: *Harry Potter e a Pedra Filosofal, Harry Potter e a Câmara Secreta, Harry Potter e o Prisioneiro de Azkaban, Harry Potter e o Cálice de Fogo, Harry Potter e a Ordem da Fênix, Harry Potter e o Enigma do Príncipe, Harry Potter e as Relíquias da Morte – Parte 2*

adereços e maquiagem contribuíram com seus talentos. Uma foto da cena era tirada e recebia digitalmente uma textura de pintura e um "verniz" que imitava a aparência de uma pintura a óleo. Outros quadros eram peças originais de artistas, que muitas vezes os pintaram "no estilo" de artistas famosos. A variedade de quadros representou a história da pintura do Egito à Renascença e ao início do século XX. No entanto, muitos dos que apareciam nos quadros eram produtores, integrantes das equipes e seus familiares. O retrato de Stuart Craig (com o título de *Henry Bumblepuft, 1542*) tem posição proeminente na grande escadaria. Pinturas com pessoas em movimento eram colocadas na parede com uma tela azul dentro da moldura para inserção digital na edição. Para *Harry Potter e as Relíquias da Morte – Parte 2*, os quadros foram recriados com fundos vazios, pois todos os modelos fugiram deles por segurança.

SALÃO PRINCIPAL

"Eu me lembro vividamente de estar no cenário do Salão Principal quando começamos a filmar *Harry Potter e a Pedra Filosofal*, de manhã bem cedo", diz Chris Columbus, diretor dos dois primeiros filmes. "Fazia muito frio. Leavesden estava em seus primeiros dias como estúdio, e o telhado tinha um vazamento. E, às vezes, conseguíamos ouvir os carros e aviões lá fora. Mas havia uma sensação de mágica real."

O Salão Principal de Hogwarts é uma mistura de inspirações de vários prédios renomados da Inglaterra. A entrada, onde os alunos se reúnem antes da Cerimônia de Seleção de Casas, foi filmada na escadaria que levava ao salão principal da faculdade de Christ Church, em Oxford. Seu teto abobadado, um estilo arquitetônico único para a Inglaterra, é famoso pela delicadeza de sua construção. O Salão Principal de Hogwarts teve como base o mesmo estilo de Christ Church, mantendo as dimensões do século XVI do aposento, 12 por 37 metros. No alto, há o teto do século XIV do Westminster Hall nas Casas do Parlamento, feito em arcos de madeira. Depois, Stuart Craig fez alterações que funcionassem melhor para os filmes. "Para mim, as janelas são a coisa mais importante em qualquer cenário. São os olhos do cenário", explica ele. "As janelas de Christ Church são muito altas e ficariam além da linha de cima da tomada durante a maior parte do tempo. Assim, baixamos os parapeitos e acrescentamos uma janela grande no final, que é um marco importante e dá um ponto focal ao comprimento do salão." Ele deixou que essas escolhas de design falassem por si mesmas. "É uma estrutura muito simples, nem um pouco complicada. Tem dois ou três aspectos clássicos que foram muito úteis. Acho que, se tivéssemos ideias demais acontecendo em paralelo, o local teria ficado chato." A decisão mais importante que Craig tomou sobre o Salão Principal foi instalar piso com pedra de York. "Apesar de nos terem dito que seriam sete livros, quando começamos, só os dois primeiros existiam. Não havia garantia de que o segundo filme seria feito, ao menos enquanto o primeiro não fosse um sucesso." Mas ele confiou na intuição baseada na longa experiência com filmes. "Se tivéssemos usado nossos materiais de sempre, gesso ou plástico com fibra de vidro ou algo do tipo, a tinta teria se desgastado", explica ele. "Às vezes, as coisas falsas custam bem mais em esforço e dinheiro que usar as verdadeiras." O piso de pedra de York durou os dez anos com trilhos de câmera, equipamento de iluminação e centenas e centenas de atores atravessando sua superfície.

ANTERIOR: *A entrada do cenário do Salão Principal.* NO ALTO: *Alunos do primeiro ano se preparam para a Seleção de Casas em* Harry Potter e a Pedra Filosofal. ACIMA: *As ampulhetas usadas para contar os pontos das casas Sonserina, Lufa-Lufa, Grifinória e Corvinal.*

OCUPANTES: alunos, professores e fantasmas de Hogwarts

INSPIRAÇÃO PARA O CENÁRIO: Salão principal de Christ Church, Universidade de Oxford, Oxfordshire

"Colocamos bastante fogo no Salão Principal, pois precisava ser um lugar mágico, caloroso e amoroso", diz o diretor Chris Columbus. Uma lareira enorme decorada com o brasão de Hogwarts foi posicionada em um dos lados da sala, e as paredes eram decoradas com criaturas heráldicas, que representam as quatro casas, segurando recipientes com fogo. "Mas não foi surpresa termos encontrado alguns desafios. Particularmente, as velas flutuantes e um teto infinito."

"Colocamos 370 velas flutuantes de verdade no Salão Principal", diz o supervisor de efeitos especiais John Richardson. "Todas subiam e desciam em momentos diferentes. A aparência foi mesmo mágica." Richardson e a equipe solucionaram quase todos os desafios necessários para colocar tantas velas no ar. Cada uma era suspensa por dois fios de 3 a 4,5 metros acima da cabeça de quatrocentos atores e podia se mover para cima e para baixo. "Tivemos que encontrar uma forma rápida de trocá-las", diz Richardson. "Precisamos arrumar um jeito rápido de chegar a elas e acendê-las, e um jeito rápido de apagá-las, e fizemos exatamente isso." Chris Columbus ficou maravilhado com o trabalho. "Eu me lembro da primeira cena no Salão Principal, em que olhamos para todas aquelas velas flutuantes. Não dava para ver nada sustentando-as." Mas correntes de ar no cenário do Salão Principal sopraram as chamas das velas nos fios. Depois de queimar por mais ou menos uma hora, a chama fazia os fios se partirem e a vela caía, e, por motivos práticos e de segurança, as velas flutuantes foram refeitas como efeito especial. Mas criá-las digitalmente permitiu que os artistas de efeitos visuais as realocassem em padrões diferentes ao longo dos filmes, como círculos ou camadas, ou até acrescentassem abóboras no Halloween.

Como Hermione Granger conta a Harry Potter quando eles entram no Salão Principal, "não é real, o teto. É só enfeitiçado". Stuart Craig considerou várias formas de criar a vista do teto em constante mudança, mas queria garantir que não parecesse uma pintura bidimensional. Os pensamentos iniciais foram de tratar o teto como se fosse de vidro ou como se o próprio teto fosse feito de céu. "Tentamos ilustrar essa ideia, que parece impossível", diz Craig com uma risada. "Em outras palavras, você veria partes de nuvem em meio a uma das vigas do telhado. Mas isso causaria grandes problemas para a câmera, e o teto ser feito de céu é uma noção tão absurda que não fomos muito longe com isso." Craig e o artista conceitual Dermot Power rascunharam ilustrações que mostravam o céu em mutação como uma seção de um globo virtual que cortava o teto. Com essa ideia em mente, o céu e as vigas do teto foram gerados por computador, e os artistas digitais puderam definir um limite mais baixo. Quando chuva ou neve caíam no Salão Principal, sempre desapareciam na mesma linha do horizonte. Para mostrar o "verdadeiro" exterior do Salão Principal, um ciclorama pintado à mão envolvia todo o cenário. "É uma grande pintura de cenário da vista que se tem de Hogwarts, de modo que, toda vez que se tem um vislumbre da janela, essa pintura é vista ao fundo. Mas não era uma pintura estática. Quando era para ser inverno nos filmes, neve era pintada em cada topo de montanha", diz Craig.

A cenógrafa Stephenie McMillan preencheu o espaço em seguida. "Nós fazemos, alugamos ou compramos", explica McMillan. "Fazer a mobília do Salão Principal era óbvio, porque eu não sabia de nenhum lugar onde se pudesse comprar ou alugar quatro mesas de 30 metros e oito bancos que as acompanhassem!" Depois, as mesas precisaram ser envelhecidas, pois tinham passado por muitas gerações de alunos. Por isso, os jovens atores nunca eram desencorajados a entalhar seus nomes ou fazer desenhos na madeira.

ALTO: *Um fotograma de* Harry Potter e a Pedra Filosofal *mostra as velas flutuantes no Salão Principal. Depois de algumas experiências, as velas foram criadas digitalmente para o filme.* À DIREITA E POSTERIOR: *O esquema e a arte conceitual de Dermot Power ilustram como o céu noturno celestial podia ser projetado sobre os alunos adormecidos em* Harry Potter e o Prisioneiro de Azkaban.

Tropicus Capricorni
Pars humana
Centaurus
Chiron
Argo Nauis
Hydra

✶ O Baile de Inverno ✶

O Salão Principal foi o lugar onde se deu o tradicional Baile de Inverno do Torneio Tribruxo em *Harry Potter e o Cálice de Fogo*. Stuart Craig e Stephenie McMillan concordaram que esse não era o melhor lugar para uma festa. “Eu me lembro de Stuart e eu olhando para o Salão Principal e dizendo: ‘O que podemos fazer com este lugar para transformá-lo?’”, relembra McMillan. Craig explica: “O Salão Principal é um ambiente bastante sólido, com enormes peças de alvenaria. É muito marrom e, tirando o teto e as velas flutuantes, não tem muita cara de festa.” O livro descreve o espaço como “uma espécie de palácio de gelo”, diz McMillan, e ela teve a ideia de deixar tudo prateado, embora o desafio seguinte fosse a forma como isso seria feito. “Tinta prateada é opaca e não tão reflexiva”, diz Craig. “Se você não tomar cuidado, sai na imagem como se fosse pedra cinza.” Mas McMillan lembrou como os tecidos transformaram a sala de aula de Adivinhação de Trelawney. Eles localizaram e compraram quantidades enormes de um tecido de lurex prateado à prova de fogo e prenderam nas paredes, enrolaram nas vigas, penduraram nas janelas e usaram para

cobrir as mesas. O que não foi coberto de tecido também era prateado, como as árvores de Natal nas extremidades da sala e os instrumentos da orquestra de 24 músicos. "Acabou ganhando embalo", confessa McMillan. O tema gelado tomou conta de tudo, do gelo iluminado de azul das tigelas das estátuas ao teto encrustado de gelo.

Outra mudança que McMillan fez foi na arrumação das mesas. Em vez das longas, ela colocou na sala mesas redondas com 4 metros de diâmetro, cercadas de 250 bancos prateados estilo francês com pernas cruzadas. As mesas receberam esculturas de gel baseadas no Royal Pavilion em Brighton, embora tenham sido feitas em resina e iluminadas por baixo com gel azul. A maior parte da comida servida também era de resina. McMillan e sua equipe foram ao famoso mercado de peixes de Londres, Billingsgate, em busca de lagostas, siris, camarões e mais. Alguns foram usados para criar moldes de resina, mas outros eram reais. Eles tiveram que ser tratados para não estragarem sob a luz do estúdio. Isso queria dizer que ninguém podia comer, mas também não era possível sentir o cheiro.

ANTERIOR, ALTO: *Alunos dançam as músicas da banda As Esquisitonas no Baile de Inverno.* ESQUERDA: *Hermione (Emma Watson) e Vitor Krum (Stanislav Ianevski) em* Harry Potter e o Cálice de Fogo. ABAIXO: *A elegante transformação do Salão Principal foi conseguida em parte com tecido lurex prateado.*

SALA COMUNAL DA GRIFINÓRIA

Stuart Craig queria que a sala comunal da Grifinória oferecesse "uma sensação tranquilizadora de calor e conforto, com um sofá surrado, um tapete gasto e uma lareira enorme". O próprio Craig desenhou as almofadas do sofá, mas colocou ênfase maior no último item. "A lareira é significativa porque Harry veio de uma existência um tanto desagradável com a tia e o tio. A sala comunal é a primeira experiência de lar calorosa e reconfortante que ele tem, e a lareira era muito importante. Em seguida, cercá-la com tapeçarias exuberantes em uma sala decorada com vermelhos intensos tornou o lugar envolvente, quase como um útero."

A direção de arte contratou uma equipe de pesquisadores que explorou a arquitetura e a decoração de vários períodos para suplementar as descrições dos livros. As tapeçarias vermelhas e douradas que decoram a sala comunal foram mostradas a Stuart Craig pela pesquisadora Celia Barnett. "Ela me mostrou tapeçarias esplêndidas com fundo escarlate do museu Cluny, em Paris, e o tema dessas tapeçarias é uma linda mulher francesa medieval e um unicórnio. Assim, perguntamos ao museu se podíamos reproduzi-la", explica ele.

NO ALTO E À DIREITA: *Os dois fotogramas mostram o contraste caloroso da sala comunal em comparação ao castelo de pedra.* ABAIXO E SEGUINTE: *A sala comunal da Grifinória foi um dos poucos cenários que passou por toda a série de filmes sem ser mudado.*

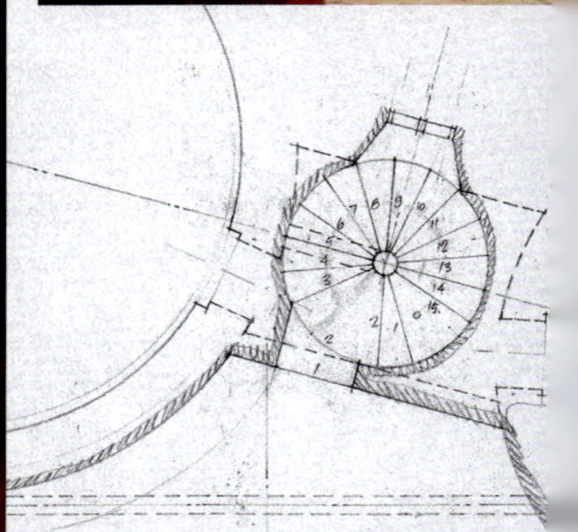

O museu concordou e ofereceu transparências do trabalho do século XV *A dama e o unicórnio*, que a equipe de design pôde transformar em digitalizações impressas.

"Com algumas poucas mudanças, a sala comunal permaneceu a mesma durante os filmes", diz Stephenie McMillan. Um adereço constante foram várias edições da revista em quadrinhos bruxa *As aventuras de Martin Miggs, o Trouxa pirado*, criada pelo departamento gráfico. Os anúncios no quadro de cortiça mudavam a cada ano, assim como edições adequadas de *O Pasquim* e do *Profeta Diário*, que ficavam espalhadas pela sala. Para *Harry Potter e o Prisioneiro de Azkaban*, o diretor Alfonso Cuarón pediu quadros em movimento na sala comunal. "Pintamos retratos dos monitores-chefes antigos da Grifinória, um pequeno quadro a óleo de uma partida de quadribol e um quadro inspirado em Hogarth, de bruxos jogando cartas." McMillan se referia à sala comunal como "quartel-general". Perto do fim da série, "quando aquele cenário particular combinado de sala comunal e dormitório foi atingido, foi como se a gente pensasse, caramba, nossa casa já era", relembra ela.

"SENHA?"

Quadro da Mulher Gorda, *Harry Potter e a Pedra Filosofal*

OCUPANTES: alunos da Grifinória

APARIÇÕES: *Harry Potter e a Pedra Filosofal, Harry Potter e a Câmara Secreta, Harry Potter e o Prisioneiro de Azkaban, Harry Potter e o Cálice de Fogo, Harry Potter e a Ordem da Fênix, Harry Potter e o Enigma do Príncipe*

DORMITÓRIO DOS MENINOS DA GRIFINÓRIA

NESTAS PÁGINAS: *Fotogramas demonstram o calor e a diversão que caracterizavam as cenas no dormitório dos meninos por todos os filmes.* POSTERIOR, EMBAIXO: *A mesa de cabeceira de Harry com os óculos, livro, varinha e o Mapa do Maroto.* ABAIXO: *Vistas do desenho circular do dormitório.*

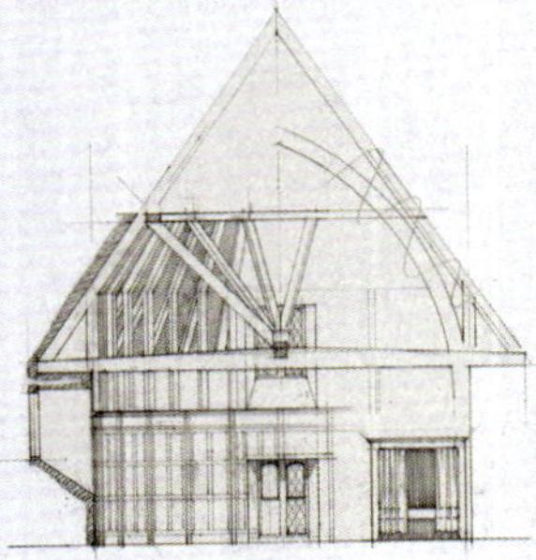

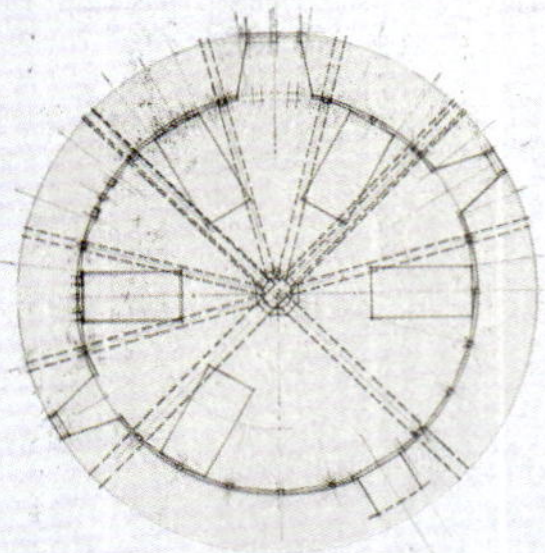

Stuart Craig deu continuidade ao tema do espaço íntimo no dormitório dos meninos da Grifinória. "A falta de segurança de Harry era um aspecto da personalidade dele que queríamos explorar", explica ele, "e ao planejar o dormitório e a cama de dosséis, ficamos bem conscientes do fato de que era um refúgio para ele, que se sentia mais em casa ali que em qualquer outro lugar, e a fizemos pequena deliberadamente. Cobrimos as camas com cortinas porque elas o abrigavam, faziam com que ele se sentisse confortável e seguro, o que contrastava com a amplidão do resto do ambiente". As camas, com números romanos escritos no alto, foram pintadas "como uma espécie de carvalho médio a escuro, o que parece ser o padrão para mobília escolar inglesa", diz Stephenie McMillan. Ela queria que as cortinas fossem vermelho Grifinória, claro, e com estampas douradas de imagens e símbolos mágicos e astrológicos. Ela procurou em mercados de antiguidades e lojas de tecidos, querendo encontrar algo que combinasse com a ideia, mas, depois de várias semanas de buscas infrutíferas, McMillan se resignou a criar o tecido para o filme. Na última hora, ela viu a estampa que desejava em uma vitrine de loja em Londres. "A estampa era o que eu queria, mas infelizmente o tecido era roxo. Malva, na verdade." McMillan disse para a dona da loja que gostava do modelo, mas não da cor, e estava prestes a sair pela porta quando a mulher perguntou: "De que cor você gostaria que fosse?" A loja de tecidos pôde fornecer a McMillan material para a cortina no escarlate intenso das cores da Grifinória.

O fogão de ferro fundido no meio da sala era do fabricante francês Godin; McMillan o havia usado em um filme anterior. As mesinhas ao lado das camas eram decoradas para refletir aspectos dos interesses de cada aluno. Rony Weasley, um dedicado fã dos Canhões de Chudley, tinha pôsteres e bandeiras do time favorito de quadribol ao redor da mesinha, assim como a revista de quadribol *Seeker Weekly*; Neville Longbottom, livros sobre plantas; Simas Finnigan, trevos. Em *Harry Potter e o Cálice de Fogo*, Simas "torceu para a Seleção Nacional de Quadribol da Irlanda", diz Stuart Craig, então "colocamos souvenires na mesinha dele depois da Copa do Mundo de Quadribol". Produtos adolescentes foram criados pelo departamento gráfico e colocados em várias mesas, inclusive Tolipan Blemish Blitzer e Fergus Fungal Budge (Exterminador de Espinhas Tolipan e Fergus Fim das Frieiras). Ao longo dos filmes, os atores cresceram, mas as camas permaneceram do mesmo tamanho: 1,75 metro de comprimento. Ângulos de câmera esconderam pés que ficavam para fora dos colchões durante as filmagens.

"TAMÉM PRECISAMOS CUIDAR PARA QUE OS VERDADEIROS CRABBE E GOYLE NÃO NOS PEGUEM NO FLAGRA ENQUANTO ESTIVERMOS INTERROGANDO MALFOY."

Hermione Granger, *Harry Potter e a Câmara Secreta*

ACIMA: *Harry e Rony usam a Poção Polissuco para se disfarçar de Crabbe e Goyle e interrogar Draco Malfoy (no alto, à direita).* DIREITA: *A arte de Andrew Williamson mostra a luz refletida na água do lago entrando na sala comunal da Sonserina.*

SALA COMUNAL DA SONSERINA

Em *Harry Potter e a Câmara Secreta*, a sala comunal usada por Draco Malfoy, Crabbe e Goyle, da Sonserina, contrasta de todas as formas com a da Grifinória. Ao contrário da torre arejada que acomoda os alunos da Grifinória, a escura sala comunal da Sonserina fica situada debaixo do lago. Stuart Craig queria uma atmosfera mais pesada e densa, "como se ela fosse entalhada em pedra sólida". Inspirada na Câmara do Tesouro de Petra, na Jordânia, a sala foi construída sem blocos e nem juntas na alvenaria. Craig escolheu um estilo mais antigo de arquitetura em comparação ao resto do castelo. "É mais normanda ou romanesca, então a sensação é um pouco diferente, embora eu ache que isso seja percebido de forma subconsciente." As cores prata e verde da Sonserina deram a Stephenie McMillan a paleta de cores para a sala alta e parecida com um calabouço. "Colocamos sofás de couro preto e tapeçarias nas paredes sem nada de vermelho, estampadas com mais verde e azul." Isso também contribuiu para a sensação de estar debaixo da água que a sala passa. Os ornamentos e decorações foram feitos em prata e mostravam desenhos de serpentes. Apesar de a lareira ser maior que a da Grifinória, não há fogo aceso. A sala é fria e escura.

OCUPANTES: alunos da Sonserina

LOCAÇÃO DAS FILMAGENS: Leavesden Studios

APARIÇÃO: *Harry Potter e a Câmara Secreta*

OCUPANTES: corujas do correio e corujas particulares dos alunos

LOCAÇÃO DE FILMAGEM: Leavesden Studios

APARIÇÃO: *Harry Potter e o Cálice de Fogo*

CORUJAL

Em *Harry Potter e o Cálice de Fogo* aconteceu o Baile de Inverno, para o qual os alunos precisaram encontrar parceiros de dança. O Corujal é onde Harry Potter convida Cho Chang para acompanhá-lo, mas descobre que ela já aceitou o convite de Cedrico Diggory. Apesar de o Corujal ser mencionado em filmes anteriores, essa foi a primeira aparição na tela. Assim como muitos dos cenários dos filmes de *Harry Potter*, o Corujal foi uma combinação de cenário ao vivo, miniatura e efeitos especiais. Para o design, Stuart Craig seguiu a filosofia de tratar a estrutura como uma escultura. "Não é apenas uma torre, mas duas, meio que unidas", explica ele. "Há patamares e níveis diferentes, o que sempre deixa o lugar mais interessante, janelas com vista para Hogwarts e a nova ponte que foi acrescentada, além de ser possível ver o labirinto da terceira tarefa, ainda sob construção." Craig queria que o Corujal fosse dramático e chamativo. "Descobrimos a melhor silhueta possível e o colocamos no alto de uma base de pedra aparentemente impossível, com forma de pentagrama. Em seguida, colocamos isso em cima de uma crista de rocha que tinha sido filmada em Inverness, na Escócia."

Sabendo que o Corujal receberia tanto animais vivos quanto corujas de mentira, Craig consultou o supervisor de animais Gary Gero. Craig queria uniformidade no design do interior do Corujal, mas corujas de verdade têm tamanhos diferentes, e oferecer segurança para as aves significava acomodar medidas distintas. Craig acabou chegando a um tamanho e formato otimizados para os poleiros, que permitiam que qualquer espécie de coruja voasse até ali e se empoleirasse. Corujas falsas foram usadas nos poleiros mais distantes da câmera. As corujas mais próximas eram uma combinação de animais de plástico, mecânicos e digitais, assim como aves de verdade. Durante a filmagem, cada coruja real estava ligada a um fio leve e invisível chamado "jesse", que ficava preso a um fecho de segurança atrás do poleiro. As corujas também usaram jesses quando estavam voando pelo Corujal. Na cena do Corujal com mais animais, sessenta corujas de verdade apareceram, a maioria levada de centros de resgate. Como aves

"TOME CUIDADO NA ESCADA. ESTÁ MEIO CONGELADO NO ALTO."

Cho Chang, *Harry Potter e o Cálice de Fogo*

muito grandes e muito pequenas não podem voar juntas (pense só: almoço), grupos diferentes de corujas foram filmados separadamente e montados para parecessem juntos. Apesar de a maioria das corujas ser noturna, as treinadas por Gero e sua equipe estavam acostumadas a filmar durante o dia, embora ocasionalmente tirassem cochilos.

As fezes de coruja no Corujal foram feitas com isopor que recebeu camadas de gesso e tinta por cima. A atenção aos detalhes que caracterizou a construção e a montagem dos cenários foi transferida para o modelo de Hogwarts criado para os filmes. O Corujal do modelo foi preenchido com corujas em miniatura que também representavam diferentes tamanhos e espécies.

ALTO: *Harry cercado de corujas verdadeiras e falsas em* Harry Potter e o Cálice de Fogo. ACIMA E À ESQUERDA: *Arte conceitual de Andrew Williamson mostra o interior e o exterior do Corujal.* ANTERIOR, NO ALTO: *A equipe no cenário do Corujal.*

"ENTÃO VOCÊ PODE AJUDAR HARRY. ELE VAI PESQUISAR NA BIBLIOTECA INFORMAÇÕES SOBRE NICOLAU FLAMEL."

Hermione Granger, *Harry Potter e a Pedra Filosofal*

BIBLIOTECA

Durante *Harry Potter e a Pedra Filosofal*, Harry usa a Capa da Invisibilidade para entrar na área restrita da biblioteca de Hogwarts e tentar descobrir mais sobre Nicolau Flamel e a Pedra Filosofal. Para a filmagem da cena, os produtores decidiram filmar na Biblioteca Duke Humfrey, uma das quarenta Bibliotecas Bodleian da Universidade de Oxford. A Biblioteca Duke Humfrey é a sala de leitura mais antiga de Oxford e data de meados dos anos 1400. "Foi uma ousadia filmar na bela Biblioteca Bodleian", diz Stuart Craig. "Até para pedir permissão. As restrições, como você pode imaginar, foram bem complicadas. E houve várias limitações para os ângulos das câmeras, então decidimos construir para os filmes seguintes." A Biblioteca Duke Humfrey tem um sistema de acorrentar os livros mais antigos a uma moldura encaixada nas estantes, e Craig copiou essa prática na versão recriada em Leavesden Studios.

Harry faz pesquisa na biblioteca para conseguir ajuda com a segunda tarefa do Torneio Tribruxo em *Cálice de Fogo*. Em *Enigma do Príncipe*, Hermione observa Romilda Vane flertando com Harry na biblioteca enquanto eles procuram informações sobre as Horcruxes. Em cada filme, os livros da biblioteca foram criados em materiais diferentes com propósitos diferentes. "Usamos uma combinação de livros de couro de qualidade e livros feitos de outros materiais, como isopor", explica Stephenie McMillan. "Às vezes, é preciso fazer os livros voarem pelo ar! E há pilhas muito, muito altas de livros que fazem parte do cenário da biblioteca, e elas também precisavam ser leves." Em *Enigma do Príncipe*, enquanto Hermione e Harry discutem a frustração mais recente da garota com Rony Weasley, ela carrega uma pilha de livros que voam de suas mãos para o lugar certo. Um simples efeito prático foi utilizado para colocar os livros nas prateleiras. Quando a atriz Emma Watson esticava um livro, pessoas da equipe usando luvas feitas de material de tela verde esticavam a mão por trás da estante, pegavam o livro e colocavam na prateleira. Depois, os braços foram digitalmente removidos da cena.

ALTO: *Arte conceitual para* Cálice de Fogo *por Andrew Williamson.*
ACIMA: *Harry explora a seção restrita da biblioteca em* Pedra Filosofal.
POSTERIOR: *Em uma cena de* Enigma do Príncipe, *integrantes da equipe usando luvas verdes esticam a mão para pegar livros. As mãos foram apagadas digitalmente mais tarde.*

OCUPANTES: Madame Pince, alunos

LOCAÇÕES DE FILMAGEM: Biblioteca Duke Humfrey, Bibliotecas Bodleian, Universidade de Oxford, Oxfordshire, Inglaterra; Leavesden Studios

APARIÇÕES: *Harry Potter e a Pedra Filosofal, Harry Potter e a Câmara Secreta, Harry Potter e o Cálice de Fogo, Harry Potter e o Enigma do Príncipe*

ALA HOSPITALAR

Assim como as cenas da biblioteca de Hogwarts, as cenas da Ala Hospitalar de *Pedra Filosofal* e *Câmara Secreta* foram filmadas na Biblioteca Bodleian na Universidade de Oxford, dessa vez em Divinity School. A Divinity School também existe desde o fim do século XV, e o teto é outro exemplo lindíssimo de arquitetura gótica, com nervuras em forma de cruz nas abóbadas.

Para *Harry Potter e o Prisioneiro de Azkaban*, a ala foi recriada em Leavesden Studios, com uma leve reestrutura. Passara a se conectar a um corredor pelo qual a parte de cima do pêndulo da Torre do Relógio podia ser vista. Também foi acrescentada iluminação de candelabros. Oito camas ocupam a ala, cada uma com uma prancheta na ponta com as informações médicas do paciente impressas em um formulário de Hogwarts. Os armários de remédios são cheios de vidros de comprimidos e poções, todos com rótulos do departamento gráfico. A ala hospitalar permaneceu igual em *Harry Potter e o Enigma do Príncipe*, quando Draco ali se recupera depois de ser ferido por Harry com o feitiço *Sectumsempra*, e quando Rony é levado depois de ingerir uma poção do amor feita para Harry. Olhos atentos vão reparar que a Ala Hospitalar foi convertida na sala onde a professora McGonagall ensina os alunos de Hogwarts a dançar valsa antes do Baile de Inverno em *Harry Potter e o Cálice de Fogo*.

NESTAS PÁGINAS, EM SENTIDO HORÁRIO: *Um fotograma de* Pedra Filosofal; *Harry e Hermione se preparam para usar o Vira-Tempo em* Prisioneiro de Azkaban; *um relógio do cenário; o cenário da Ala Hospitalar em* Prisioneiro de Azkaban.

"PRECISAMOS LEVAR O SENHOR PARA A ALA HOSPITALAR, PARA MADAME POMFREY."

Harry Potter, *Harry Potter e o Enigma do Príncipe*

OCUPANTES: Madame Pomfrey, alunos doentes ou feridos

LOCAÇÕES DE FILMAGEM: The Divinity School, Bodleian Library, Universidade de Oxford, Oxfordshire, Inglaterra; Leavesden Studios

APARIÇÕES: *Harry Potter e a Pedra Filosofal, Harry Potter e a Câmara Secreta, Harry Potter e o Prisioneiro de Azkaban, Harry Potter e o Enigma do Príncipe*

"SABE O BANHEIRO DOS MONITORES NO QUINTO ANDAR? NÃO É UM LUGAR RUIM PARA UM BANHO DE BANHEIRA. LEVE SEU OVO E PENSE EM TUDO QUANDO ESTIVER NA ÁGUA QUENTE."

Cedrico Diggory, *Harry Potter e o Cálice de Fogo*

BANHEIRO DOS MONITORES

Dentre os cenários dramáticos de ação de Hogwarts, os banheiros têm um certo destaque: um contém a entrada para a Câmara Secreta em *Harry Potter e a Câmara Secreta*, e outro é onde Harry Potter e Draco Malfoy têm seu confronto mais violento em *Harry Potter e o Enigma do Príncipe*. O mais suntuoso é o banheiro dos monitores em *Cálice de Fogo*. Como parte do Torneio Tribruxo, Harry precisa interpretar a aguda emissão de áudio de um grande ovo dourado para descobrir pistas vitais sobre a segunda tarefa. Seu colega campeão de Hogwarts, Cedrico Diggory, oferece uma sugestão obscura: que Harry tome um banho com o ovo no banheiro dos monitores.

Stuart Craig acha que locações assim podem realizar o sonho de um diretor de arte, pois banheiros têm espelhos e janelas. "São as partes mais incríveis, não são?", diz ele com uma risada. "São o que tem magia de verdade. Janelas e espelhos, reflexivos ou transparentes, dão aquela dimensão extra, dão um certo brilho. Eles podem ser sua maior arma." O banheiro dos monitores tem três janelas góticas em arco; a do meio exibe um vitral que se move de uma bela sereiana, desenhado pelo artista conceitual Adam Brockbank. Ela penteia o cabelo enquanto observa Harry e sua companhia indesejada, o fantasma Murta Que Geme, descobrirem a pista da segunda tarefa. A banheira quase do tamanho do aposento é preenchida por três níveis de torneiras, das quais jorram fluxos de água nas cores azul, vermelho e amarelo. Para garantir a durabilidade, as dezenas de torneiras foram moldadas em bronze.

ESQUERDA: *A arte conceitual de Adam Brockbank mostra a janela de vitral no banheiro dos monitores.* DIREITA: *O cenário do banheiro dos monitores visto em* Harry Potter e o Cálice de Fogo.

OCUPANTES: monitores, Murta Que Geme

LOCAÇÃO DE FILMAGEM: Leavesden Studios

APARIÇÃO: *Harry Potter e o Cálice de Fogo*

CÂMARA SECRETA

Harry Potter e a Câmara Secreta apresenta uma serpente gigantesca, o basilisco, que vive debaixo do castelo de Hogwarts há quase mil anos. No segundo ano de Harry Potter, a Câmara Secreta subterrânea é aberta, e a fera, que antes era controlada por Salazar Slytherin, anda pelos canos em busca de vítimas desamparadas. Aproveitando a história do basilisco, o produtor de arte Stuart Craig sabia que a Câmara Secreta existia, como ele diz, "em território da Sonserina. O lugar deles é nos calabouços de Hogwarts. Assim, essa parte secreta do castelo tinha que ser no espaço da Sonserina. É um templo da Sonserina". Craig e sua equipe fizeram um passeio pelos esgotos de Londres para estudar a arquitetura e engenharia e voltaram com inspiração para o design da Câmara. Craig também fez várias viagens à Escócia e criou moldes de faces de pedras de penhascos e colinas. Em seguida, esses moldes foram cortados em blocos e construídos para parecer paredes de alvenaria. Uma porção da face "original" de pedra foi mantida intacta, na qual uma escultura do rosto de Salazar Slytherin foi entalhada. A boca de Slytherin se abre em um túnel do qual o basilisco sai. Essa peça enorme foi moldada em poliestireno e trabalhada pelo escultor Andrew Holder para encaixar na face de pedra.

"A CÂMARA SECRETA FOI ABERTA."

Inscrição na parede de um corredor de Hogwarts, *Harry Potter e a Câmara Secreta*

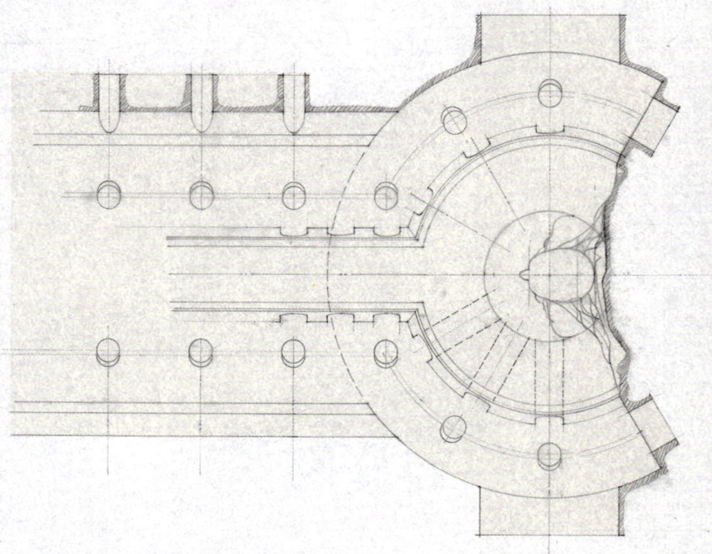

OCUPANTE: Basilisco

LOCAÇÃO DE FILMAGEM: Leavesden Studios

APARIÇÕES: *Harry Potter e a Câmara Secreta, Harry Potter e as Relíquias da Morte – Parte 2*

ANTERIOR, NO ALTO: *Desenhos da Câmara Secreta.* NO ALTO, ACIMA E ANTERIOR EMBAIXO: *Fotogramas de* Harry Potter e a Câmara Secreta *mostram o tamanho do ambiente e a escala dos moldes usados.* ESQUERDA: *Um desenho do basilisco por Stuart Craig.*

A Câmara Secreta, com 76 metros de comprimento por 37 de largura, foi um dos maiores cenários construídos para os filmes. Pela descrição do livro, a Câmara também deveria ter uma profundidade incrível, mas o aposento mais alto de Leavesden Studios, na época, chegava a apenas 8,50 metros de altura. "Pensei que poderia resolver isso construindo em escala menor, ou pelo menos criando a ilusão de profundidade. Assim, a ideia é que a Câmara tem dezenas de metros de altura, mas está inundada, e você só vê o alto da estátua de Salazar Slytherin." Na realidade, a água só tem 30 centímetros e foi tingida de preto para dar uma sensação de profundidade.

Para salvar Gina Weasley e impedir o basilisco, Harry Potter precisa entrar na Câmara Secreta através de um acesso no banheiro das meninas em um dos andares mais altos de Hogwarts. Para expor a entrada, criou-se um círculo de pias que se movia em um efeito prático "como as pétalas de uma flor", diz Craig. Quando Harry, Rony e o professor Lockhart deslizam para a Câmara, eles se separam. Harry precisa entrar sozinho, mas primeiro deve abrir uma grande porta circular decorada com cobras. Depois que Harry fala em ofidioglossia, cada cobra recua, e a porta é destrancada.

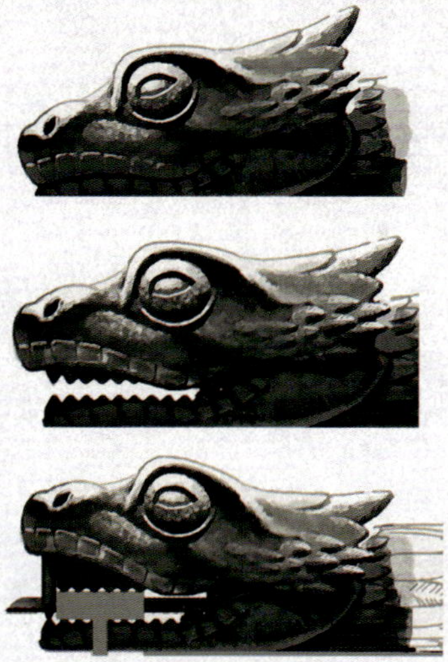

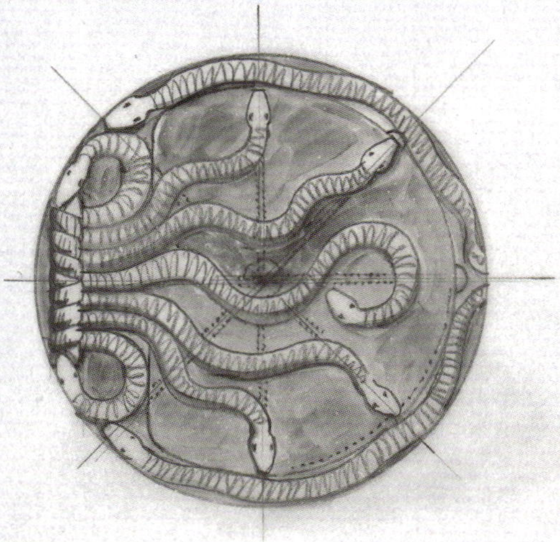

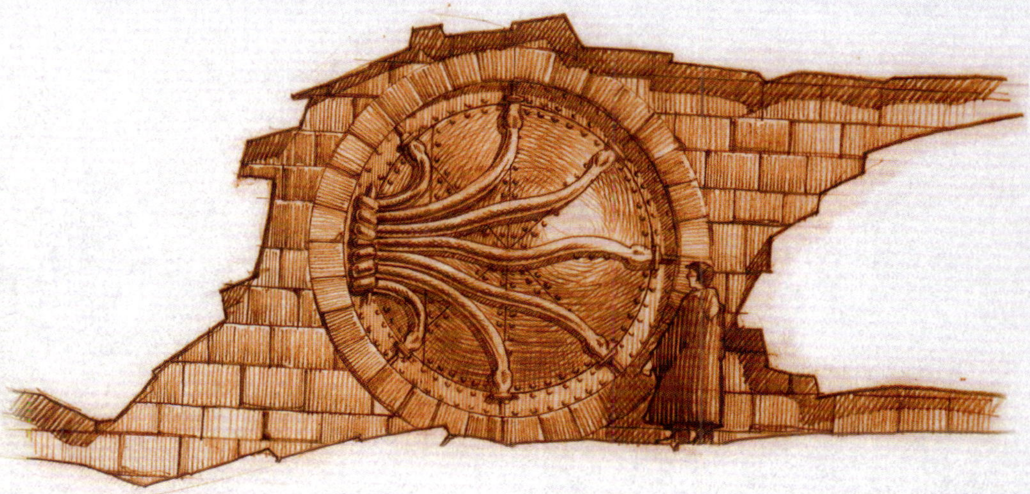

"Foi uma peça de engenharia muito inteligente", diz Craig. "Não foi efeito visual." O supervisor de efeitos visuais John Richardson desenhou o mecanismo, que foi depois executado por Mark Bullimore, um engenheiro supervisor de efeitos especiais que também construiu as portas dos cofres do banco Gringotes.

A Câmara aparece de novo em *Harry Potter e as Relíquias da Morte – Parte 2*, quando Rony Weasley e Hermione Granger vão pegar um dente de basilisco para destruir uma Horcrux. Como a Câmara foi usada no filme apenas brevemente, uma reconstrução digital foi criada e a cena foi filmada toda com tela verde, do teto ao chão.

NESTAS PÁGINAS, EM SENTIDO HORÁRIO: *Harry, Rony e o professor Lockhart (e a Murta Que Geme, que não é vista no filme) observam a pia do banheiro das meninas revelar a entrada da Câmara Secreta; arte conceitual da porta circular da Câmara, que foi criada para o filme (esquerda); arte que mostra a visita de Rony e Hermione à Câmara Secreta em* Harry Potter e as Relíquias da Morte – Parte 2*; a arte de Adam Brockbank mostra o mecanismo intrincado de trancamento da Câmara em formato de cobras.*

OCUPANTES: pessoas com necessidades

LOCAÇÃO DE FILMAGEM: Leavesden Studios

APARIÇÕES: *Harry Potter e a Ordem da Fênix, Harry Potter e o Enigma do Príncipe, Harry Potter e as Relíquias da Morte – Parte 2*

ACIMA: *O cenário da Sala Precisa.* DIREITA: *Arte conceitual por Andrew Williamson da Sala Precisa em* Harry Potter e as Relíquias da Morte – Parte 2. ABAIXO: *Desenho da porta da Sala Precisa.*

SALA PRECISA

A Sala Precisa aparece pela primeira vez em *Harry Potter e a Ordem da Fênix*, quando Harry Potter precisa de um lugar para treinar Defesa Contra as Artes das Trevas com a Armada de Dumbledore, o grupo recém-formado de alunos, reunido para lutar contra Lorde Voldemort. Com uma história longa e misteriosa, a Sala Precisa só pode ser encontrada por quem precisa dela, e se transforma para oferecer o que a pessoa necessita. Para complementar o estilo gótico do castelo de Hogwarts, a Sala Precisa foi criada com teto alto e abobadado cujos arcos desciam em colunas suspensas acima do chão. Stuart Craig queria que a ênfase fosse nos alunos, então não encheu a sala com tudo que é descrito nos livros. O "espaço neutro" de Craig, como ele descreve, era cercado de espelhos. "Senti que era apropriado porque refletia os alunos e a necessidade deles para eles mesmos. E, em termos de fotografia, os reflexos ofereciam possibilidades empolgantes." Pendurados no teto havia cinco lustres feitos de plástico de alta qualidade, pois precisavam tremer quando Dolores Umbridge finalmente descobre a sala e explode a porta para abri-la. O ator Matthew Lewis (Neville Longbottom) descreveu o cenário como "um clube da luta subterrâneo em Hogwarts".

Iluminar uma sala cercada de espelhos pode ser, como Craig descreve, "incrivelmente difícil. Você não só reflete as câmeras e a equipe, mas também toda a iluminação, e isso foi motivo de muita preocupação". Para controlar essas coisas, ele inclinou os espelhos e usou um spray opaco que eliminava reflexos. Mas uma conversa com o diretor de fotografia, Slawomir Idziak, ofereceu a solução mais criativa. Craig explica: "Nós inventamos um sistema de iluminação debaixo do chão, pelo qual ele podia iluminar a partir das grades embaixo." A iluminação ficava imperceptível. O único problema era que isso também iluminava a sola dos sapatos das pessoas. A solução: cobrir as solas de todos com veludo preto. Em seguida, por causa do chão preto, a equipe e qualquer pessoa que entrasse na sala tinha que usar sapatilhas de plástico azul para não levar poeira para o cenário.

Nos filmes, o cenário da Sala Precisa foi algumas vezes rearrumado como outra coisa: foi a Sala dos Troféus em *Cálice de Fogo*, com armários de vidro sustentando as colunas, e também foi a sala do professor Slughorn em *Harry Potter e o Enigma do Príncipe*, onde as colunas ficavam sobre bases de quatro colunas jônicas.

"VOCÊ CONSEGUIU, NEVILLE! VOCÊ ENCONTROU A SALA PRECISA."

Hermione Granger, *Harry Potter e a Ordem da Fênix*

DIREITA E ABAIXO: *Dentre os muitos objetos guardados na Sala Precisa estão o Espelho de Ojesed e o toca-discos usado na aula de Riddikulus do professor Lupin.* POSTERIOR, ALTO: *A arte conceitual de* Harry Potter e as Relíquias da Morte – Parte 2 *mostra a Sala tomada por chamas.* POSTERIOR, NO MEIO E EMBAIXO: *A arte conceitual e um desenho preliminar mostram a Sala com redes para alunos desalojados.*

A Sala Precisa também aparece como ela mesma em *Enigma do Príncipe*: Harry Potter esconde ali dentro o livro de *Estudos Avançados no Preparo de Poções* todo anotado, e a sala é onde Draco Malfoy coloca um Armário Sumidouro, que serve como passagem para os Comensais da Morte entrarem em Hogwarts. Para essa versão, na qual a sala é cheia de pilhas infinitas de coisas abandonadas que as pessoas quiseram esconder ao longo dos séculos, Craig não queria enfatizar o teto alto. "Assim, os armários de vidro foram colocados de volta embaixo das colunas para sustentá-las", diz Craig. "E isso deu lugar a uma estrutura que pudemos encher de montanhas de coisas empilhadas no chão, de modo que os objetos ficaram mais dominantes." Felizmente, a cenógrafa Stephenie McMillan e o departamento de arte, que criou e guardou os adereços de todos os filmes, já tinham um inventário considerável para usar a fim de ocupar o espaço. Olhos atentos vão detectar peças do jogo de xadrez bruxo que protegia a Pedra Filosofal e a máquina de projeção que Snape usou em *Harry Potter e o Prisioneiro de Azkaban*.

Em *Harry Potter e as Relíquias da Morte – Parte 2*, a Sala Precisa se torna a base de Neville Longbottom e de outros alunos ameaçados ou desalojados pelo Diretor Snape e pelos novos professores, os Carrow. A sala fica vazia e é ocupada por poucas peças de mobília e redes penduradas nas vigas. Mais uma vez, os armários de

vidro, então completamente vazios, apoiam as colunas. Mais tarde, Harry volta à Sala Precisa em sua busca pelo diadema de Ravenclaw, que foi transformado em uma das Horcruxes de Voldemort. Novamente, a sala aparece como uma pilha de coisas abandonadas em uma das sequências de ação mais espetaculares do último filme. Dessa vez, a altura da sala foi usada como vantagem, e Craig e McMillan não deixaram espaço vazio. Craig sabia que menos não era mais. "O fato de eles estarem procurando um diadema, uma joia pequenina, em um lugar tão amplo e complicado só tornava a tarefa ainda mais impossível." Craig começou a "esculpir" a sala criando um modelo a partir de pequenos blocos de isopor, para criar o que ele chamou de "paisagem montanhosa". Um modelo maior foi feito, usando mobília de casinha de boneca. "Depois disso, [o diretor] David Yates foi olhar o modelo e disse: 'Preciso de mais 20 metros para eles poderem escapar.' Assim, acrescentamos mais mobília de casa de boneca. E pense, para cada cadeirinha de casinha de boneca acrescentada, tínhamos que comprar a mesma quantidade de cadeiras de verdade", relembra Stephenie McMillan.

Na preparação para ocupar a sala com os vários milhares de peças de mobília necessárias, McMillan começou a comprar mobília adicional muitos meses antes de filmar a cena. Ela também usou o estoque do estúdio para ocupar o espaço e criar o que ela chamava de "as 13 montanhas". Incorporados à pilha, havia móveis dos filmes anteriores. "Tínhamos 36 escrivaninhas, todas as mesas do Salão Principal, todos os bancos, todos os banquinhos dos professores. Os objetos do armário de troféus. As peças de xadrez do segundo filme. Os objetos da festa de Slughorn", reconta McMillan, que gostava de andar pelo cenário e ver essas coisas. "E nós até, claro, trapaceamos, e o centro de cada pilha era composto de uma série de grandes caixas de compensado, só para dar volume. A mobília era só uma ou duas camadas acima disso", admite Craig. Imagens geradas por computador aumentaram e preencheram a sala ainda mais.

OCUPANTES: alunos e professores de Hogwarts

LOCAÇÃO DE FILMAGEM: Leavesden Studios

APARIÇÃO: *Harry Potter e o Enigma do Príncipe*

TORRE DE ASTRONOMIA

A Torre de Astronomia não aparecia no modelo de Hogwarts usado para as filmagens até *Harry Potter e o Enigma do Príncipe*, quando Harry Potter e Alvo Dumbledore aparatam ali depois de pegar o medalhão que era uma falsa Horcrux. Sem eles saberem, Draco Malfoy levou Comensais da Morte para Hogwarts, o que resulta em um confronto no alto da torre e na morte de Dumbledore. A torre é vista de novo em ruínas quando Harry e Voldemort batalham durante *Harry Potter e as Relíquias da Morte – Parte 2*. "Nós mudamos as coisas de lugar, deixamos as coisas se expandirem, se desenvolverem e desaparecerem completamente", afirma Craig. "Assim, conforme a série prosseguiu, continuamos reinventando coisas, mudando-as, em geral porque havia uma exigência de roteiro." Craig revela que provavelmente sempre houve uma Torre de Astronomia no castelo, mas "os roteiros dos filmes não pediam por ela, então esta não apareceu nos primeiros filmes". No modelo de Hogwarts para *Enigma do Príncipe*, a Torre de Astronomia foi colocada no mesmo lugar onde havia a torre em que Sirius Black ficou preso em *Prisioneiro de Azkaban* (que desapareceu do modelo depois do filme).

Para Craig, a aparição da Torre de Astronomia foi outra oportunidade de melhorar a silhueta da escola. "O perfil de Hogwarts, no primeiro filme, é uma mistura de locais diferentes. Acrescentar a Torre de Astronomia foi uma melhora enorme. O castelo está repleto de pináculos e torres com ar sonhador agora e, para mim, é uma silhueta bem mais satisfatória, com mais exagero, mais teatralidade."

A Torre de Astronomia, com estimativa de mais de 100 metros de altura, se tornou a torre mais alta do castelo de Hogwarts, mas também era a menor. "Já tínhamos visto o interior dela, na verdade uma adaptação anterior de sala dedicada a astronomia", diz Craig, referindo-se à cena de *Harry Potter e o Prisioneiro de Azkaban* em que o professor Lupin ensina a Harry o feitiço do Patrono. "Mas, para essa versão, ela precisava ser impressionante. Pedia uma peça de arquitetura muito detalhada." A Torre de Astronomia é, na verdade, uma composição. "Há torres ancoradas na torre principal. Assim, a estrutura é arquitetonicamente muito interessante e, apesar de ficar em um lugar, é composta de mais três espaços unidos." A torre foi ocupada com instrumentos científicos, espelhos, esferas e um telescópio que deixa os humanos pequenos. O desenho da torre feito por Craig ecoa modestamente o da sala de Dumbledore, com uma semelhança com a série de três círculos.

NESTAS PÁGINAS, EM SENTIDO HORÁRIO: *A arte de Andrew Williamson mostra Dumbledore e Harry confabulando antes de partirem em busca do medalhão de Slytherin; Dumbledore aguarda seu destino em* Harry Potter e o Enigma do Príncipe; *Comensais da Morte sobem na Torre; Harry, Rony e Hermione veem Fawkes partir.*

CAPÍTULO 5

SALAS DE AULA E DOS PROFESSORES

ESTUFA DE HERBOLOGIA

Em *Harry Potter e a Câmara Secreta*, Harry e os outros alunos do segundo ano aprendem a replantar mandrágoras com a professora Pomona Sprout em uma estufa de Herbologia. A estufa aparece novamente em *Harry Potter e o Enigma do Príncipe*, quando Harry encontra o professor Horácio Slughorn sorrateiramente cortando folhas de um tentáculo venenoso.

"Começamos com os Jardins de Kew como ideia de estrutura para a estufa de Herbologia, particularmente a Temperate House em Kew", diz Stuart Craig. A Temperate House, no Jardim Botânico Real de Kew, é a maior estufa de vidro vitoriana existente e foi aberta em 1863. No entanto, em *Câmara Secreta*, "o objetivo da cena é aprender sobre mandrágoras e a colocá-las em novos vasos, portanto, o foco e a arrumação do cenário acontecem em uma enorme mesa comprida, coberta de plantas em vasos", explica Craig. O estilo de design da estufa seguiu o clima gótico de Hogwarts, com arcos pontudos ao longo do teto. Craig ficou particularmente satisfeito com a pintura do interior. "Foi muito bem executada", diz ele. "Tem líquen e musgo, um acabamento verde-azulado, manchas e marcas do tempo. É rica e linda, e são necessárias habilidades especiais para se alcançar essa atmosfera de época."

NESTAS PÁGINAS, EM SENTIDO HORÁRIO: *Arcos de ferro adornam o cenário da estufa; o professor Slughorn (Jim Broadbent) corta folhas de tentáculo venenoso enquanto Harry observa em* Harry Potter e o Enigma do Príncipe; *a professora Sprout instrui os alunos do segundo ano a replantarem mandrágoras em* Harry Potter e a Câmara Secreta.

"BEM-VINDOS À ESTUFA TRÊS, ALUNOS DO SEGUNDO ANO."

Professora Sprout, *Harry Potter e a Câmara Secreta*

OCUPANTES: Professora Sprout, alunos de Herbologia

LOCAÇÃO DE FILMAGEM: Leavesden Studios

APARIÇÕES: *Harry Potter e a Câmara Secreta, Harry Potter e o Enigma do Príncipe*

SALA DE DEFESA CONTRA AS ARTES DAS TREVAS

A filmagem da sala de aula de Defesa Contra as Artes das Trevas do professor Quirino Quirrell para *Harry Potter e a Pedra Filosofal* aconteceu no Warming Room da Abadia de Lacock, que era a única sala da construção do século XIII em que as freiras tinham permissão de acender a lareira. No entanto, Stuart Craig explica: "É sempre mais fácil filmar em um cenário de estúdio que levar o elenco e a equipe para uma locação, então, para *Câmara Secreta*, nós construímos a sala de aula de Defesa Contra as Artes das Trevas." Para isso, o diretor de arte não recriou o Warming Room da Abadia de Lacock, mas começou do zero, com dois conceitos em mente: a qualidade escultural da sala e a familiaridade. "Embora a decoração mude a cada novo professor de Defesa Contra as Artes das Trevas, é bom estarmos em uma sala de aula familiar." Para Craig, a forma é de suma importância.

O planejamento de Craig começou com uma folha de papel em branco. "Foi uma daquelas experiências em que comecei a rabiscar e acabei tendo a ideia de suportes que sustentariam vigas enormes de madeira, que por sua vez sustentariam um teto bem inclinado. É uma sala de sótão, logo embaixo do telhado, e achei que seria um bom contraponto a toda a alvenaria que vemos em tantos outros interiores." Craig continuou a desenvolver a sala com uma filmagem de plano geral em mente. "Decidi que o cenário deveria ser curvo, de modo que você olhasse para uma parede curva com os suportes irradiando a partir dela." A luz também era uma consideração importante, e assim ele integrou janelas enormes a um dos lados. Em seguida, precisava ligar a sala de aula à sala

OCUPANTES: Professores Quirrell, Lockhart, Lupin, Moody e Umbridge, alunos de Defesa Contra as Artes das Trevas

LOCAÇÕES DE FILMAGEM: Warming Room, Abadia de Lacock, Wiltshire, Inglaterra; Leavesden Studios

APARIÇÕES: *Harry Potter e a Pedra Filosofal, Harry Potter e a Câmara Secreta, Harry Potter e o Prisioneiro de Azkaban, Harry Potter e o Cálice de Fogo, Harry Potter e a Ordem da Fênix*

ABAIXO E POSTERIOR, NO ALTO: *No cenário da sala de Defesa Contra as Artes das Trevas do professor Quirrell, filmada na Abadia de Lacock, em Wiltshire.* POSTERIOR, EMBAIXO: *Vistas da construção da entrada da sala.*

"É UM A-ASSUNTO MUITO F-FASCINANTE. NÃO QUE VOCÊ PRECISE, HEIN, POTTER?"

Professor Quirrell, *Harry Potter e a Pedra Filosofal*

do professor. "Um espaço de sótão, quase por definição, é triangular, e assim, nos dois lados inclinados do triângulo, o púlpito gótico acima da escada foi um bom toque vertical." Isso funcionou perfeitamente para Gilderoy Lockhart, o professor de Defesa Contra as Artes das Trevas em *Câmara Secreta*. Craig diz: "Esse design criou um ambiente que parecia um palco e era ideal para Lockhart, que, sempre um ator, era capaz de fazer entradas e saídas dramáticas."

Como o professor de Defesa Contra as Artes das Trevas muda todo ano, Craig e a cenógrafa Stephenie McMillan tiveram a oportunidade de redecorar a sala regularmente para refletir a personalidade de cada professor. "O professor Gilderoy Lockhart era incrivelmente vaidoso, então espalhamos por toda a sala muitas fotos e pinturas dele mesmo e todos os livros que escreveu", descreve McMillan. As fotos mostravam o professor Lockhart em várias proezas extremas ou esportivas, e muitas delas viraram fotos mágicas. "Para o maior retrato, que tinha mais ou menos 3 metros por 1,50 metro, tivemos a ideia de mostrá-lo pintando um retrato dele mesmo. E tínhamos esperança de que, com efeitos visuais, pudéssemos fazer Lockhart sair do retrato e entrar na sala." Por fim, Lockhart só troca uma piscadela com sua imagem no quadro.

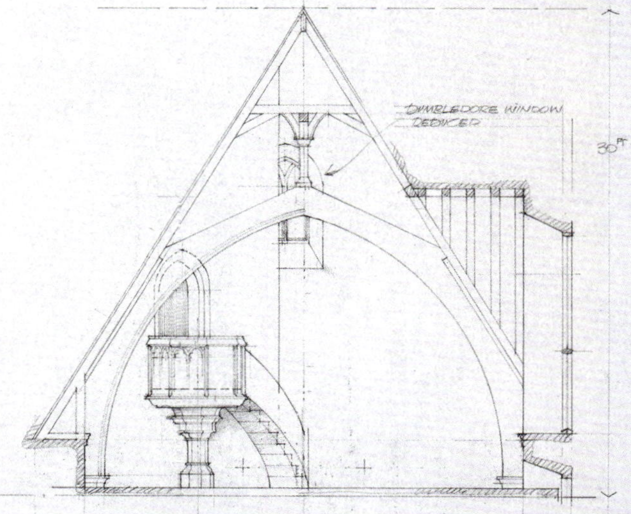

McMillan achou o professor Remo Lupin, de *Harry Potter e o Prisioneiro de Azkaban*, um pouco difícil de definir. Ela decidiu dar-lhe o visual de um verdadeiro naturalista, "e colocamos coisas que ele poderia ter encontrado em suas viagens, o que incluía muitos crânios debaixo de domos de vidro". McMillan também teve a tarefa de conseguir adereços específicos exigidos pelo roteiro, como um toca-discos, o sistema de projeção e o armário com o bicho-papão. "Demos uma olhada em móveis franceses, especificamente no estilo *art nouveau*. O armário era um amálgama das linhas curvas e fluidas desse estilo, mas as deixamos mais pesadas do que deveriam para ficarem mais ameaçadoras." A cenografia para o professor Olho-Tonto Moody em *Harry Potter e o Cálice de Fogo* foi bem mais fácil para ela. "Obviamente, por causa do olho de vidro, escolhemos o tema de lentes, então tudo na sala tinha relação com coisas óticas, que levamos ao extremo com *enormes* mecanismos pendurados." McMillan achou a professora Dolores Umbridge, de *Harry Potter e a Ordem da Fênix*, "um grande alívio. Ela não ensinou nada. Então, deixamos a sala completamente livre de adereços adicionais, exceto pelos livros que descem

para as mesas magicamente. Não colocamos decoração nenhuma na sala. E assim, quando você subia a escada e a via, tomava um grande susto."

Além das necessidades decorativas características de cada professor, McMillan também forneceu o material escolar básico. Cada sala tinha um quadro-negro giratório, ao qual McMillan acrescentou seu toque pessoal de magia: um par de botas embaixo que funcionava como os "pés". Dezoito mesas duplas em cada sala acomodavam 36 alunos — por um tempo. Conforme os atores foram crescendo, Stuart Craig admite: "Tivemos que aumentar as camas e as mesinhas e cadeiras das salas também. Eles ficaram maiores que a capacidade das mesas e cadeiras bem rapidamente."

NESTAS PÁGINAS, EM SENTIDO HORÁRIO: *A arte conceitual da sala de aula de Gilderoy Lockhart exibe os vários retratos que o professor tinha de si mesmo; Dolores Umbridge (Imelda Staunton) faz cara feia em* Harry Potter e a Ordem da Fênix; *a sala de aula de Olho-Tonto Moody exibe uma miríade de lentes de tamanhos diferentes; a sala de aula de Remo Lupin exibe presas e outras relíquias antropológicas.*

SALA DE DOLORES UMBRIDGE

Harry Potter visita a sala do professor interino de Defesa Contra as Artes das Trevas em vários filmes, mas talvez a versão mais impressionante e surpreendente seja a de Dolores Umbridge em *Harry Potter e a Ordem da Fênix*. "O ambiente delicado e um tanto doentio da sala é uma contradição radical às ações agressivas e cruéis dela", diz Stuart Craig com uma risada. "É um grande contraste com tudo que estabelecemos previamente." As cortinas são cor-de-rosa, o tapete no estilo Aubusson é cor-de-rosa, e até as paredes de pedra são pintadas de cor-de-rosa. "A sala de Umbridge é circular, e a decoração parece um tanto inadequada; contradiz sua arquitetura básica e tem uma certa qualidade hostil." Pequenas modificações foram feitas à sala por motivos práticos. "Nós movemos as janelas, basicamente para colocar a mesa em uma determinada posição em relação à porta para quando Harry entra e a confronta."

"Não tínhamos usado mobília francesa antes, mas achamos que combinaria com a personalidade de Dolores. Não é um estilo muito tranquilo, é cheio de pontas e detalhes", explica Stephenie McMillan. Os móveis de reprodução francesa obviamente falsa são um pouco grandes demais, com acolchoados densos e cortinas cintilantes. "A cadeira da mesa também é tão grande que os pés de Dolores não conseguem tocar o chão, as pernas ficam penduradas, porque [a atriz] Imelda Staunton é pequenininha", diz McMillan. A sala é cheia de rendas e bibelôs bem-arrumados. "Há também coisas nos armários, coleções de tesourinhas e alfinetes de chapéu", descreve McMillan. "Mais uma vez, com pontas e afiados." A mesa de Umbridge inclui papel rosa com enfeite de gato, um abridor de cartas com enfeite de gato e um vidro de perfume com enfeite de gato. E, o mais memorável, quarenta pratos nas paredes com desenhos de gatinhos.

"Decidimos que organizaríamos por tamanho, e os maiores ficaram no alto", diz McMillan. "Em seguida, acrescentamos uma variedade de bordas. Alguns pratos teriam fotografias imóveis, mas houve uma seção fantástica com a segunda unidade, que filmou gatinhos usando chapéus, ao lado de bolas de cristal, brincando em uma 'praia'." Essas imagens em movimento foram compostas em pratos com centros de tela azul."

OCUPANTE: Professora Umbridge

LOCAÇÃO DE FILMAGEM: Leavesden Studios

APARIÇÃO: *Harry Potter e a Ordem da Fênix*

"NÃO DEVO CONTAR MENTIRAS."

Escrita punitiva dada a Harry Potter, *Harry Potter e a Ordem da Fênix*

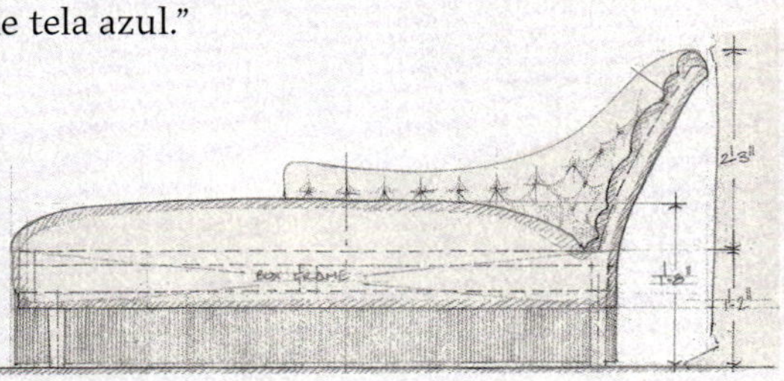

NESTAS PÁGINAS, EM SENTIDO HORÁRIO: *Um dos quarenta pratos de gatinho que decoram as paredes da sala de Umbridge; arte conceitual de Adam Brockbank para uma cena de* Harry Potter e a Ordem da Fênix*; imagens do cenário pronto; desenho da chaise de Umbridge.*

"AH, SINCERAMENTE, RONY. SE VOCÊ QUER SABER, ADIVINHAÇÃO É UMA DISCIPLINA MUITO IMPRECISA."

Hermione Granger, *Harry Potter e o Prisioneiro de Azkaban*

SALA DE ADIVINHAÇÃO

"A sala de aula de Adivinhação da professora Sibila Trelawney fica em um espaço estilo sótão, em algum lugar bem lá no alto de Hogwarts. E ela quase nunca desce", diz Stuart Craig. E, como um sótão bem usado, o loft de Trelawney em *Prisioneiro de Azkaban* é cheio de tesouros. Tem um quê de *Mil e uma noites*, coberto esplendorosamente de parede a parede com tecidos exóticos de cores intensas, combinados com objetos de uma antiquada casa de chá. A sala no estilo anfiteatro é decorada com mesas redondas, cobertas de tecidos que envolvem uma mesa central cheia de xícaras de chá empilhadas. No total, havia mais de quinhentas xícaras de chá na sala. As mesas têm bolas de cristal e outros equipamentos de adivinhação. A escadaria circular que leva à Torre de Adivinhação foi filmada na Catedral de St. Paul, em Ludgate Hill, Londres; usamos novamente a mesma escadaria em *Harry Potter e o Cálice de Fogo*, na saída da sala de aula de Defesa Contra as Artes das Trevas.

Em *Harry Potter e a Ordem da Fênix*, depois que Dolores Umbridge se eleva à posição de Diretora de Hogwarts, ela tenta expulsar Sibila Trelawney da escola. "Trelawney é uma personagem muito triste e bem mais digna de solidariedade então, e nosso trabalho é refletir isso", diz Craig. "Dessa vez, as cores estão bem mais controladas. Há menos tecidos brilhantes e com dourado. Os tons estão mais terrosos, o que sugere depressão e grande tristeza." Na verdade, a sala de aula foi diminuída em comparação à primeira aparição. "Nós minimizamos a conversão da estrutura da sala para fazer com que parecesse mais comprimida", explica Stephenie McMillan, concordando com Craig que isso transmitia melhor a personalidade alterada de Trelawney. "Dessa vez, é tudo bem menos exibicionista. Ela é uma mulher destruída. Portanto, está bem mais sóbria."

NESTAS PÁGINAS, EM SENTIDO HORÁRIO: *Um conceito de Andrew Williamson (no alto, à esquerda) explora o estilo extravagante usado no cenário da sala de Adivinhação em* Harry Potter e o Prisioneiro de Azkaban *(no alto, à direita e à direita).*

OCUPANTES: Professora Sibila Trelawney, alunos de Adivinhação

LOCAÇÃO DE FILMAGEM: Catedral de St. Paul, Ludgate Hill, Londres; Leavesden Studios

APARIÇÕES: *Harry Potter e o Prisioneiro de Azkaban, Harry Potter e a Ordem da Fênix*

SALA DE POÇÕES

Nos primeiros cinco anos de Harry Potter em Hogwarts, a aula de Poções é dada pelo seu (presumido) inimigo, Severo Snape. Em *Harry Potter e a Pedra Filosofal*, a sala de Poções de Snape foi filmada na sacristia da Abadia de Lacock, que ofereceu várias locações para esse filme: além da sala de Artes das Trevas do professor Quirrell, também foram filmados ali a sala com o Espelho de Ojesed e o pátio com corredores em volta. Para Stuart Craig, o principal da sala de Poções é que ela é uma masmorra. "Masmorras têm um tipo particular de arquitetura. Têm alvenaria grandiosa, têm tetos baixos. Os tetos são sempre abobadados, pois precisam sustentar o que há acima. Assim, a ideia cresceu logicamente da noção de uma masmorra em uma escola medieval." A sala verdadeira não é subterrânea, então os produtores cobriram as janelas até determinado ponto para sugerir tal ideia. Stephenie McMillan conseguiu mesas pesadas e quadradas com caldeirões borbulhando em bicos de Bunsen mágicos, e o departamento gráfico colocou rótulos nas centenas de vidros e frascos de ingredientes nas prateleiras espalhadas pela sala. Nos três filmes seguintes, o professor Snape ganhou uma sala similarmente lotada de ingredientes de Poções e que foi ficando ligeiramente maior a cada aparição. A mesa da sala do professor Snape era originalmente uma mesa da sala comunal da Sonserina usada em *Câmara Secreta*.

Em *Harry Potter e o Enigma do Príncipe*, o desejo de Snape de dar aulas de Defesa Contra as Artes das Trevas é realizado, e o professor Dumbledore pede a um antigo professor de Poções, Horácio Slughorn, que volte para Hogwarts. A sala de Poções foi recriada em Leavesden, mas desta vez o cenário da sala de Snape, inclusive a mesa, foi usado, e a sala, expandida novamente. As prateleiras foram alongadas; e os vidros usados no depósito de Snape, acrescentados. Novos caldeirões especiais foram criados, inclusive um caldeirão em miniatura para a poção Felix Felicis. As mesmas mesas foram usadas para os alunos, mas com uma alteração. McMillan explica: "Os tampos das mesas eram de madeira, mas um câmera perguntou se podiam ser modificados para refletir a luz de uma fonte no teto. Assim, nós as cobrimos de zinco, o que as deixa com aparência bem mais interessante. É um cenário que se beneficiou de ser repetido, porque realmente o melhoramos daquela vez", conclui ela.

NESTAS PÁGINAS, EM SENTIDO HORÁRIO: *Cena de* Harry Potter e a Pedra Filosofal *filmada na Abadia de Lacock; o cenário expandido no estúdio da sala de Poções; uma coleção de vidros de poções rotulados à mão pelo departamento gráfico.*

"POSSO ENSINAR COMO ENGARRAFAR A FAMA, PREPARAR A GLÓRIA E ATÉ IMPEDIR A MORTE."

Professor Snape, *Harry Potter e a Pedra Filosofal*

OCUPANTES: Professor Snape (de *Harry Potter e a Pedra Filosofal* até *Harry Potter e a Ordem da Fênix*), professor Slughorn (*Harry Potter e o Enigma do Príncipe*), alunos de Poções

LOCAÇÕES DE FILMAGEM: Sacristia, Abadia de Lacock, Wiltshire, Inglaterra (*Harry Potter e a Pedra Filosofal*); Leavesden Studios (*Harry Potter e o Enigma do Príncipe*)

APARIÇÕES: *Harry Potter e a Pedra Filosofal, Harry Potter e o Enigma do Príncipe*

SALA DE HORÁCIO SLUGHORN

Em *Harry Potter e o Enigma do Príncipe*, Stuart Craig recebeu a orientação de criar uma sala para o professor de Poções em retorno, Horácio Slughorn, que fosse "um tanto substancial, muito luxuosa". A fim de realizar isso, ele sabia que precisava se apropriar de uma parte substancial do set. O que ele escolheu "se converteu muito bem", garante Craig. "Acho que não é nem um pouco reconhecível como a Sala Precisa." Stephenie McMillan descreveu o set redecorado como "muito vitoriano e um tanto pomposo, como Slughorn é". Ela sabia que o departamento de figurino estava preparando as roupas do personagem em tons de marrom e decidiu que as cores da sala deviam complementar as do guarda-roupa. "Havia grandes [sofás] Chesterfield de couro marrom e mobília marrom entalhada. Pesadas cortinas marrons e tecidos de lã cobriam as paredes de pedra. Colocamos uma mesa grande e redonda para 13 pessoas com cadeiras entalhadas, porque ele sempre dava jantares. Também adicionamos um piano de cauda em um canto e uma mesa grande em outro. E uma lareira enorme." McMillan parabeniza os esforços conjuntos do departamento de tecidos e do departamento de sinalização, que fizeram todas as cortinas e o forro da mobília. "Fizemos todas as cortinas da sala de Slughorn", explica McMillan. "Às vezes, achamos que o tecido precisa de estampa, porque não conseguimos encontrar exatamente o que queremos. E muitas vezes encontramos, mas precisamos dele em escala bem maior. Assim, o departamento de sinalização imprime nos tecidos as estampas que queremos." Craig achou que o cenário evocava bem a personalidade de Slughorn. "Tem uma certa teatralidade, não tem? Surrada, meio gasta, mas teatral mesmo assim."

OCUPANTES: Professor Slughorn, Clube do Slugue

APARIÇÃO: *Harry Potter e o Enigma do Príncipe*

NESTAS PÁGINAS, EM SENTIDO HORÁRIO: *As cenas de* Harry Potter e o Enigma do Príncipe *mostram o professor Slughorn recebendo convidados; fotos emolduradas dos alunos favoritos de Slughorn; uma caixa com bezoares; desenho da construção da ampulheta de Slughorn.*

"TUDO BEM! EU ACEITO. MAS QUERO A SALA ANTIGA DA PROFESSORA MERRYTHOUGHT, NÃO A CABINE DE BANHEIRO QUE EU TINHA ANTES."

Professor Slughorn, *Harry Potter e o Enigma do Príncipe*

SALA DO DIRETOR

"Quando se olha para as três torres projetadas no exterior do castelo, se pensa: 'É ali que eu gostaria de estar.'", diz o diretor de arte Stuart Craig. "E foi assim que se tornou o lugar óbvio para a sala do diretor Alvo Dumbledore. Há uma grande torre com o telhado cônico e, no imenso telhado, projetadas para fora, as três pequenas torres, uma encostada na outra. E com esses três círculos ligados — três cilindros ligados —, a área interior tinha o potencial de se tornar muito interessante."

A primeira visita de Harry Potter à sala de Dumbledore acontece em *Câmara Secreta*, quando ele é chamado para discutir a petrificação de vários alunos. Ao longo dos filmes, a sala de Dumbledore se torna um lugar de carinho e conversas para os dois. É onde Harry conhece Fawkes, a fênix, é onde Dumbledore mostra a ele o anel Horcrux quebrado, e é onde Harry descobre seu papel na derrota de Voldemort.

A sala do diretor era um dos cenários favoritos de Craig. "Demos a ela não só três espaços diferentes, mas diferentes patamares e diferentes alturas também. Era bastante complexo e, ao mesmo tempo, pacífico, a uma altura de 90 metros no ar, em um penhasco 60 metros acima de um lago escocês. Era como um ninho, um ninho de águia." Craig deu ao diretor uma área para a mesa e cadeira, um espaço para os armários, instrumentos e livros e uma sala aconchegante na menor das torres, que talvez seja um lugar de reflexão e relaxamento.

NESTAS PÁGINAS, EM SENTIDO HORÁRIO: *Harry e Rony encontram o professor Dumbledore em* Harry Potter e a Câmara Secreta*; listas telefônicas cuidadosamente encapadas para fazer os livros das prateleiras de Dumbledore; estampa dourada como fonte para a elaboração de adereços e mobília; a estátua de um grifo protege a sala de Dumbledore em* Harry Potter e a Câmara Secreta.

"SORVETE DE LIMÃO."

Professora McGonagall enunciando a senha da sala de Dumbledore, *Harry Potter e a Câmara Secreta*

A sala de Dumbledore abrigava muitos dos elementos icônicos necessários à jornada de Harry, inclusive o Chapéu Seletor e a espada de Gryffindor. Como a sala era um cenário muito pequeno, ele foi construído com paredes móveis, que eram deslocadas para acomodar os equipamentos de câmera e luz. Os livros que ocupavam as estantes eram exemplares encapados de listas telefônicas. As cristaleiras encostadas nessas paredes e cheias de centenas de frascos de vidro com rótulos escritos à mão pelo departamento gráfico eram deslocadas com frequência e com muito cuidado. A Penseira vista em *Harry Potter e o Cálice de Fogo* foi colocada em uma mesa de pedra com formato de cálice dentro de um armário. Os artistas digitais criaram uma superfície complexa de água que incluía não só "geração de onda" realista, mas também fios de fluido prateado girando na bacia rasa, que se dissolviam na lembrança, puxando Harry para dentro. Para *Harry Potter e as Relíquias da Morte – Parte 2*, a Penseira foi criada digitalmente. Não ficava mais embutida em um tampo de mesa, mas era removível e pairava no ar enquanto Harry procurava as lembranças de Severo Snape.

OCUPANTES: Professor Dumbledore, Fawkes

LOCAÇÃO DE FILMAGEM: Leavesden Studios

APARIÇÕES: *Harry Potter e a Câmara Secreta, Harry Potter e o Enigma do Príncipe, Harry Potter e as Relíquias da Morte – Parte 2*

"HOJE NÓS VAMOS TRANSFORMAR ANIMAIS EM TAÇAS DE ÁGUA."

Professora McGonagall, *Harry Potter e a Câmara Secreta*

SALA DE TRANSFIGURAÇÃO

Em *Harry Potter e a Pedra Filosofal,* Harry Potter e Rony Weasley chegam atrasados na aula de Transfiguração da professora Minerva McGonagall, inicialmente monitorada por ela na forma de gato animago. Stephenie McMillan relembra as filmagens da aula de McGonagall em uma sala ampla com arquitetura simples na romanesca Catedral de Durham. "Eu tinha escolhido uma mesa que era pequena demais para a sala, então perguntei a uma das representantes que nos ajudava em Durham se por acaso eles tinham uma mesa maior que pudéssemos usar. E ela ofereceu uma maravilhosa mesa antiga, com um design muito interessante, perfeitamente envelhecida, o tampo de couro gasto até a madeira." Depois das filmagens na locação, McMillan percebeu que seria preciso fazer algumas filmagens adicionais da cena no estúdio, e perguntou se eles podiam levar a mesa. Para sua alegria, a representante disse que a mesa não estava mais sendo usada e McMillan podia comprá-la se quisesse. Além de ser usada na sala de Transfiguração, ela diz: "Usamos o design da mesa como base para várias peças de mobília de outras salas, em diferentes tamanhos, ao longo dos filmes." Uma transfiguração de fato valiosa.

No segundo ano, em *Harry Potter e a Câmara Secreta,* Hermione Granger interrompe uma aula de Transfiguração com perguntas sobre a história da Câmara Secreta. Os produtores voltaram a Durham, mas McMillan estava determinada a preencher o espaço grande e simples. "Precisávamos preenchê-lo mais, então acrescentamos iluminação nova e umas gaiolas grandes e altas nas paredes." As gaiolas continham uma variedade de animais, inclusive pássaros, cobras, lagartos e até guaxinins.

ANTERIOR, NO SENTIDO HORÁRIO: *Harry experimenta o Chapéu Seletor em arte conceitual que mostra sua primeira visita à sala do diretor, uma versão da cena que nunca foi filmada; uma cena interior da sala do diretor; adereços de frascos de lembranças de cores variadas.* ABAIXO: *A professora McGonagall dá aula aos alunos de Transfiguração em* Harry Potter e a Pedra Filosofal.

OCUPANTES: Professora McGonagall, alunos de Transfiguração

LOCAÇÃO DE FILMAGEM: Casa Capitular, Catedral de Durham, Durham, Inglaterra

APARIÇÕES: *Harry Potter e a Pedra Filosofal, Harry Potter e a Câmara Secreta*

LOCAÇÃO DE FILMAGEM: Leavesden Studios

APARIÇÃO: *Harry Potter e o Prisioneiro de Azkaban*

SALA DE ASTRONOMIA

Quando Harry Potter precisa aprender o feitiço do Patrono em *Harry Potter e o Prisioneiro de Azkaban*, o professor Remo Lupin o ensina na sala de Astronomia. *Prisioneiro de Azkaban* é a única vez em que tal locação é usada; é, na verdade, uma redecoração da sala de Dumbledore. A sala do diretor já possuía várias peças de equipamento astronômico, que foram suplementadas por ainda mais globos e instrumentos colocados nas prateleiras ao redor da sala. Os retratos foram removidos, é claro. Dois grandes modelos do sistema solar em movimento e que mostram as posições relativas dos planetas foram colocados ali dentro, sendo que um deles também exibia um trem de brinquedo. Esses modelos foram exaustivamente decorados com figuras e símbolos gravados, similares aos dos astrolábios de metal e dos pequenos modelos do sistema solar da sala de Dumbledore.

ALTO: *Arte do modelo de sistema solar construído para a sala de Astronomia (direita).* POSTERIOR: *A sala de Feitiços usada em* Harry Potter e a Pedra Filosofal *foi filmada em Middlesex, na Grande Londres.*

"NÃO SE ESQUEÇAM DO LEVE MOVIMENTO DE PULSO QUE ESTAMOS TREINANDO. GIRAR E SACUDIR."

Professor Flitwick, *Harry Potter e a Pedra Filosofal*

SALA DE FEITIÇOS

Harry Potter e seus colegas aprendem o feitiço de Levitação em *Harry Potter e a Pedra Filosofal* tentando fazer penas voarem, com resultados variados. A sala de Feitiços foi filmada no Fourth Form Room na Harrow Old School, construída no final dos anos 1500. O professor Filio Flitwick fica parado na frente de uma série de janelas de vidro com grades de metal em uma sala de aula que originalmente só recebia meninos. As paredes com painéis de carvalho de cada lado da sala contêm assinaturas originais entalhadas dos antigos alunos, incluindo Lorde Byron e Winston Churchill.

OCUPANTES: Professor Flitwick, alunos de Feitiços

LOCAÇÃO DE FILMAGEM: Fourth Form Room, Harrow Old School, Middlesex, Inglaterra

APARIÇÃO: *Harry Potter e a Pedra Filosofal*

CAPÍTULO 6

TERRENO DE HOGWARTS

TERRENO DE HOGWARTS

Ao redor do castelo de Hogwarts há um lago comprido e tranquilo, uma floresta escura e perigosa, vales profundos e altas montanhas. "J. K. Rowling jamais disse que Hogwarts fica na Escócia", argumenta o diretor de arte Stuart Craig. "Mas concluímos rapidamente que era ali que devíamos procurar o ambiente dos filmes. Algumas das paisagens mais dramáticas dessas ilhas ficam nas terras altas da Escócia. Portanto, fomos até lá e perguntamos: qual é o lugar mais dramático e icônico? É Glencoe, o desfiladeiro mais alto da Escócia. As montanhas são sensacionais. O vale e os rios que o cortam são lindos. Em nossa exploração pelas terras altas, encontramos o Loch Shiel, Rannoch Moor e Fort William." Ele pesquisou esses e outros locais na Escócia com o produtor de locação Keith Hatcher. Craig explica: "Nos deu a sensação do lugar onde o mundo deveria estar. Até pesquisamos um pouco mais longe para provar que nossa primeira escolha estava certa. Mas essa questão foi resolvida rapidamente."

A equipe da segunda unidade fez várias viagens para o norte antes das filmagens de *Harry Potter e a Pedra Filosofal*, para fotografar essas locações e estabelecer cenas ou cenas de fundo. E, em uma tradição consagrada do cinema, os locais foram manipulados para servir à história. "Todos os melhores elementos da Escócia não ficam nem remotamente juntos, mas nós os forçamos a ficar. Havia lagos escoceses em locais onde não havia lagos, e montanhas onde não havia montanhas. Fizemos uma paisagem idealizada, linda e dramática a partir de todos esses lugares diferentes", diz Craig.

Harry Potter e o Prisioneiro de Azkaban exigiu uma quantidade considerável de filmagens externas, e, pela primeira vez, elenco e equipe foram para a Escócia com a primeira unidade a fim de filmar em várias locações. "Hogwarts *deveria* ficar nas terras altas escocesas", diz Alfonso Cuarón, diretor de *Prisioneiro de Azkaban*. "Você precisa ter uma sensação de colinas, não a de tudo plano como se tem nas locações ao redor de Londres. Passamos três semanas na Escócia filmando nos arredores do castelo. Isso foi importante, e foi algo pelo qual Stuart Craig lutou. Ele encontrou locações incríveis para fazer tudo acontecer." Para um filme desse porte e complexidade, com atores jovens que precisavam de professores e acompanhantes, foi um feito enorme. "E choveu, e choveu, e choveu, o que somou mais tempo e custo ao filme", relembra Craig.

Os produtores jamais voltaram à locação tão extensivamente, mas continuaram a mandar a segunda unidade à Escócia para filmar paisagens, que depois eram montadas com cenas feitas com tela verde. Os produtores pesquisavam regularmente na base de dados digital de fotos e filmagens da locação. "Nós escolhemos com critério", afirma Craig. "O melhor lago, os desfiladeiros mais fotogênicos, os melhores vales e florestas, e colocamos tudo junto. Acabamos com uma série de imagens bem poderosa."

NESTAS PÁGINAS, EM SENTIDO HORÁRIO: *A imagem montada da arena usada na primeira tarefa do Torneio Tribruxo; uma visualização usada no desenvolvimento da ponte construída para o terceiro filme de* Harry Potter; *a cabana de Hagrid em* Harry Potter e o Prisioneiro de Azkaban; *a construção da ponte coberta de Hogwarts foi iniciada bem antes das filmagens de* Harry Potter e o Prisioneiro de Azkaban.

ALTO: *Vista do salgueiro lutador por entre as árvores da Floresta Proibida.* ACIMA E POSTERIOR: *Na arte de Dermot Power, Harry, Rony e Canino entram no lar cheio de teias de Aragogue.*

FLORESTA PROIBIDA

Seja ela chamada de floresta negra ou Floresta Proibida, Stuart Craig considera a floresta nos filmes de *Harry Potter* um personagem por si só. Para *Harry Potter e a Pedra Filosofal*, as primeiras cenas da floresta foram filmadas no Black Park em Buckinghamshire, Inglaterra. De acordo com Craig, isso foi "a coisa acessível e prática a se fazer". No entanto, para a cena em que Harry encontra o centauro junto ao corpo do unicórnio morto, a floresta foi um cenário montado, e a partir daí, com exceção de parte de *Cálice de Fogo*, a Floresta Proibida passou a ser criação de estúdio. "O problema com lugares reais é que são cheios de coisas que você não quer, coisas que não contribuem para a história. Uma floresta feita pelo homem tem mais potencial que uma natural." Outra consideração eram os animais atores que costumavam aparecer nas cenas da floresta. Para *Pedra Filosofal*, o chão da floresta foi coberto de musgo macio para oferecer um piso estável para qualquer animal e proteger as patinhas delicadas do cão ator que fez o papel do cachorro de Hagrid, Canino.

Para *Harry Potter e a Câmara Secreta*, a floresta "ficou mais fantástica. Foi baseada na verdade, mas um exagero da verdade, então as formas das árvores e das raízes, e até Aragogue e as acromântulas no esconderijo, eram bem reais, mas o tamanho foi incrivelmente exagerado". A intenção de Craig era de que, quanto mais se entrava na floresta, maior ela fosse ficando em escala, mais teatral, apavorante e assustadora. "É relativamente normal por fora e, quanto mais fundo você entra, maior ela fica. Mais intimidante e misteriosa. Até a névoa fica mais densa."

Craig teve novamente um desafio para as cenas de floresta em *Harry Potter e a Ordem da Fênix*. "Nós sempre pensamos: como podemos desenvolver essa ideia de floresta? Como podemos tornar mais interessante?" Ele observou o esconderijo de Aragogue em *Câmara Secreta* em busca de inspiração, particularmente para as enormes raízes das árvores do abrigo. "Assim, peguei essas raízes e as tornei maiores de novo, repensando o formato." Craig pensou nos manguezais e em como as árvores ficam elevadas pelas raízes. "Quase parece que o tronco está sendo sustentado por dedos, o que era uma ideia incrível. Mas

OCUPANTES: centauros, unicórnios, acromântulas e outras criaturas

LOCAÇÕES DE FILMAGEM: Black Park, Buckinghamshire, Inglaterra; Frithsden Beeches Wood, Ashridge, Hertfordshire, Chiltern Hills, Inglaterra; Leavesden Studios

APARIÇÕES: *Harry Potter e a Pedra Filosofal, Harry Potter e a Câmara Secreta, Harry Potter e o Prisioneiro de Azkaban, Harry Potter e o Cálice de Fogo, Harry Potter e a Ordem da Fênix, Harry Potter e o Enigma do Príncipe, Harry Potter e as Relíquias da Morte – Parte 2*

ALTO: *O diretor David Yates no cenário da Floresta Proibida.* DIREITA: *Harry Potter e Draco Malfoy procuram um unicórnio ferido em* Harry Potter e a Pedra Filosofal.

manguezais são relativamente pequenos, assim, fizemos as árvores com diâmetros de 3,50 a 4,50 metros. Maiores até que as sequoias do norte da Califórnia." Mais uma vez, a floresta ficou mais escura e mais sinistra ao abrigar o confronto do filme entre Dolores Umbridge e os centauros.

Harry Potter e as Relíquias da Morte – Parte 2 apresentou a maior Floresta Proibida de todas. Além de as árvores serem ainda maiores, a cobertura do chão ficou mais densa e mais verdejante. Quando chegou o oitavo filme, o ciclorama pintado que servia de cenário tinha crescido para um comprimento de 180 metros.

“ALUNOS DO PRIMEIRO ANO, SAIBAM QUE A FLORESTA NEGRA É PROIBIDA PARA TODOS OS ALUNOS.”

Professor Dumbledore, *Harry Potter e a Pedra Filosofal*

CABANA DE HAGRID

A cabana que pertence a Rúbeo Hagrid, guarda-caça de Hogwarts, é um local de amizade e segurança para Harry, Rony e Hermione. Ela aparece nos seis primeiros filmes de *Harry Potter*, até que é queimada por Comensais da Morte em *Harry Potter e o Enigma do Príncipe*. A cabana começou como uma estrutura octogonal de um aposento, cheia de armadilhas do guarda-caça, localizada em uma parte plana perto da escola. Foi construída e filmada no Black Park de Buckinghamshire para os dois primeiros filmes. Para o terceiro, *Prisioneiro de Azkaban*, "uma grande parte da história acontece dentro ou ao redor da cabana de Hagrid", explica o diretor Alfonso Cuarón. "E eu queria ver as crianças irem até a cabana de Hagrid e ver o que a ligava ao castelo." Stuart Craig ficou feliz com a decisão. "Quando filmamos na Inglaterra, o fundo de um dos lados era de pinheiros. Não imagino que fosse isso que J. K. Rowling tinha em mente. Nós precisávamos de filmagens externas no lugar certo, e assim convencemos todo mundo a ir à Escócia e construir a cabana de Hagrid em Glencoe, nas terras altas."

Além de a cabana de Hagrid mudar de localização, ela também aumentou de tamanho, o que Craig atribui, em tom de brincadeira, à promoção de Hagrid a professor de Trato das Criaturas Mágicas. "Nós precisávamos de um quarto, por uma necessidade da história", diz Craig. "Assim, acrescentamos um segundo octógono acoplado ao primeiro. Nós o construímos sob o glorioso brilho do sol", prossegue ele. "E, quando começamos a filmar, choveu continuamente por cinco semanas!" Apesar de ter se tornado uma filmagem desafiadora, lamacenta e fria, o produtor ficou feliz com o resultado. "Compensou com juros, não foi? Mesmo na

chuva, o visual ficou lindo na tela. As sombras das nuvens energizaram a imagem. A cabana ficou com uma aparência mais séria, e os filmes estavam começando a ficar mais sérios no mesmo momento. E uniu todos os elementos, sem trocadilhos. Filmar ali nos permitiu entender o contexto da história: o relacionamento com o castelo, a entrada dos fundos, a cabana de Hagrid, a paisagem e a floresta negra." O cenário foi desmontado depois das filmagens e recriado no estúdio, com um fundo das terras altas digital, para os filmes seguintes.

O interior da cabana de Hagrid não era um cenário, mas dois. "Foi preciso fazer uma combinação para chegar à versão final", explica Alfonso Cuarón. "A primeira é uma cabana enorme, e as cadeiras e mesas são grandes porque Hagrid é gigante. As crianças são filmadas ali. Depois, é preciso filmar tudo de novo, mas agora em uma cabana menor, onde tudo tem tamanho normal em relação ao tamanho de Hagrid." Os decoradores de cenário compravam os adereços necessários para as cenas — xícaras, baldes ou cobertores — e replicavam na escala de Hagrid. Quando o cenário foi reconstruído para *Prisioneiro de Azkaban*, Cuarón pediu que a decoração temática fosse expandida. "Nós queríamos que a cabana de Hagrid fosse cheia de animais e criaturas", diz Craig. "Afinal, é basicamente a cabana de um caseiro. Se você olhar para os detalhes, vê que é decorada com pequenos animais para todos os lados, e tem até a sensação de que pode haver animais vivos debaixo da cama!"

OCUPANTES: Rúbeo Hagrid, Canino, Norberto

LOCAÇÕES DE FILMAGEM: Black Park, Buckinghamshire, Inglaterra; Clachaig Gulley, Glencoe, Escócia

APARIÇÕES: *Harry Potter e a Pedra Filosofal, Harry Potter e a Câmara Secreta, Harry Potter e o Prisioneiro de Azkaban, Harry Potter e o Cálice de Fogo, Harry Potter e a Ordem da Fênix, Harry Potter e o Enigma do Príncipe*

NESTAS PÁGINAS, EM SENTIDO HORÁRIO: *O interior quente e confortável da cabana de Hagrid em* Harry Potter e o Enigma do Príncipe; *desenhos iniciais de uma cena na cabana; esboço e foto da cabana criada para* Harry Potter e o Prisioneiro de Azkaban.

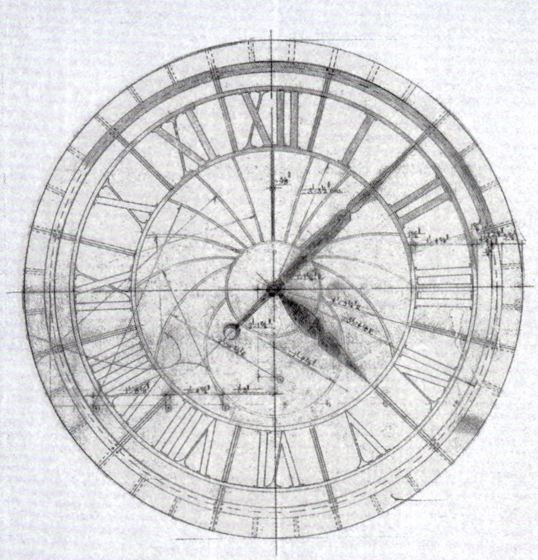

LOCAÇÃO DE FILMAGEM: Leavesden Studios

APARIÇÕES: *Harry Potter e o Prisioneiro de Azkaban, Harry Potter e o Cálice de Fogo, Harry Potter e a Ordem da Fênix, Harry Potter e o Enigma do Príncipe, Harry Potter e as Relíquias da Morte – Parte 2*

TORRE DO RELÓGIO E PÁTIO

Além dos novos elementos acrescentados ao longo dos filmes de *Harry Potter* por necessidade da história — como o aumento da cabana de Hagrid e o desenho do Corujal —, locações também foram reconstruídas com objetivos visuais e temáticos. Esse foi o caso da Torre do Relógio e do pátio ligado a ela em *Harry Potter e o Prisioneiro de Azkaban*. Vários pátios de Hogwarts aparecem nos dois primeiros filmes de *Harry Potter*; a maioria foi filmada em locais como a Catedral de Durham e o New College, em Oxford. No entanto, em *Prisioneiro de Azkaban*, o tempo é um tema predominante na história, e o diretor Alfonso Cuarón queria representar essa ideia visualmente no Castelo de Hogwarts. "Isso se desenvolveu em um longo período de discussões com Alfonso", relembra Stuart Craig. "O Vira-Tempo era o tema, principalmente para o terceiro ato do filme. Assim, referências a relógios e ao tempo eram extremamente relevantes."

Cuarón também queria uma geografia mais conectada e lógica para a escola, e, assim, várias grandes revisões incluíram a nova Torre do Relógio ao perfil de Hogwarts. Em *Prisioneiro de Azkaban*, a Torre do Relógio e o pátio ficam nos fundos de Hogwarts. Os alunos se reúnem ali antes de visitarem Hogsmeade, e o pátio é usado como outra forma de sair do castelo, por uma (nova) ponte de

madeira. Cuarón coloca seu marco no pátio com uma referência a sua herança mexicana. A escultura com arco gótico ao redor do chafariz do pátio contém serpentes e águias, que estão no brasão da bandeira mexicana. A vista do relógio, que tinha face transparente nesse filme, ficava virada para a cabana de Hagrid, onde a execução de Bicuço estava marcada para acontecer. Para *Harry Potter e o Cálice de Fogo*, a Torre do Relógio foi transferida para a frente de Hogwarts — pois uma entrada dos fundos reconstruída era necessária para os frequentadores do Baile de Inverno — e passou a ser parte do saguão de entrada e do pátio. Assim como o relógio, um componente individual também mudou de lugar pela escola ao longo dos filmes: o pêndulo, que é usado para monitorar o tempo durante o N.O.M. de Dolores Umbridge em *Harry Potter e a Ordem da Fênix*.

ANTERIOR, EM SENTIDO HORÁRIO: *Vistas da Torre do Relógio; os dois desenhos de arte conceitual por Andrew Williamson mostram vistas aéreas da Torre do Relógio e da face do relógio.* ALTO: *Dermot Power desenhou o pátio na primavera.* MEIO: *Harry fica para trás quando os alunos visitam Hogsmeade em* Harry Potter e o Prisioneiro de Azkaban. EMBAIXO: *A arte conceitual de Andrew Williamson para* Harry Potter e as Relíquias da Morte – Parte 2 *mostra Severo Snape supervisionando um cinzento pátio vazio.*

LOCAÇÃO DE FILMAGEM:
Clachaig Gully, Glencoe, Escócia

APARIÇÕES:
Harry Potter e o Prisioneiro de Azkaban, Harry Potter e o Cálice de Fogo, Harry Potter e a Ordem da Fênix, Harry Potter e o Enigma do Príncipe, Harry Potter e as Relíquias da Morte – Parte 2

PONTE E CÍRCULO DE PEDRA

Para ligar o novo pátio da Torre do Relógio e a relocação da cabana de Hagrid em *Harry Potter e o Prisioneiro de Azkaban*, uma ponte coberta de madeira em estilo gótico foi acrescentada. "Era para ter 75 metros de comprimento e parecer instável e em ruínas, inclinada de um lado para o outro e torta ao longo do comprimento, por cima de um pequeno cânion na metade do caminho entre o castelo e a cabana de Hagrid", lembra o diretor de arte Alan Gilmore. A ponte deveria ser originalmente uma combinação de modelo em miniatura e uma seção curta construída no estúdio para os atores, com cenas de fundo montadas sobre tela azul em data posterior. Mas, quando as filmagens para a nova cabana de Hagrid foram preparadas na Escócia, Alfonso Cuarón perguntou se ao menos parte da ponte também podia ser construída ali. "E, para mim, o desafio estava lançado!", diz Stuart Craig. Uma seção de 15 metros da ponte foi pré-fabricada em Londres e transportada para a Escócia. "Ventava muito no local", relembra Craig. "Ventava *absurdamente*." A construção da ponte, com peças sendo colocadas no lugar por um helicóptero, só podia acontecer em dias sem vento. "Em seguida, uma estrutura de aço muito, muito sólido, estilo andaime, foi acrescentada, para segurá-la e protegê-la do vento. Mas ficou bom, devo dizer", explica Craig.

Os cinco monólitos de pedra colocados no fim da ponte, antes da descida até a cabana de Hagrid, foram planejados para parecer que estavam ali desde antes de Hogwarts ser construída. A Inglaterra e a Escócia são famosas pelos círculos de pedras celtas, sendo Stonehenge e Avebury os mais documentados. Como o propósito dessas estruturas está em debate há muitos anos, os produtores desenharam essa para ser um relógio de sol. "Com uma qualidade enigmática e mágica, como todos os círculos de pedra deveriam ter", acrescenta Gilmore. Durante a construção da ponte, fizemos cinco buracos muito grandes na terra ali perto, e usamos um helicóptero para posicionar as pedras. Gilmore se delicia com a reação dos atores. "Alguém me disse que as crianças perguntaram a Alfonso se ele tinha escolhido a locação por causa das pedras! Isso foi muito gratificante."

"EXPLODI-LA? BUM?"

Neville Longbottom discutindo a destruição da Ponte de Madeira, *Harry Potter e as Relíquias da Morte – Parte 2*

ALTO: *A arte mostra o local da nova cabana de Hagrid perto do círculo de pedra.* DIREITA: *A arte conceitual de Andrew Williamson mostra os alunos se aproximando da ponte pelo pátio.*

OCUPANTES: Madame Hooch, times de quadribol

APARIÇÕES: *Harry Potter e a Pedra Filosofal, Harry Potter e a Câmara Secreta, Harry Potter e o Prisioneiro de Azkaban, Harry Potter e o Enigma do Príncipe, Harry Potter e as Relíquias da Morte – Parte 2*

CAMPO DE QUADRIBOL

Harry Potter e a Pedra Filosofal apresentou o tão esperado primeiro contato com o jogo bruxo de quadribol. "Embora chamemos de campo de quadribol, o jogo não é de fato jogado em um campo", diz Stuart Craig. "É jogado no ar. O campo é apenas o ponto de decolagem, na verdade. E como se planeja um jogo que é jogado no ar com os espectadores na área do estádio?" Craig começou a desenhar suas ideias e percebeu que torres eram o jeito óbvio de levar os espectadores a uma posição em que pudessem ver a ação. "Há dois níveis de espectadores", explica ele. "Os assentos mais caros ficam nas torres, e os que pagam mais barato ficam em terraços perto do chão. Mas isso deu ao estádio uma aparência muito distinta: um anel de arquibancadas e um círculo alto de torres." Craig argumentou também que, como Hogwarts ficava ao lado de uma floresta enorme, o estádio seria construído com madeira local. E, apesar de as torres ostentarem as cores das casas dos quatro times de quadribol, o design da arena passaria a sensação de um torneio medieval, inspirado pela idade do castelo, inclusive com bandeiras de aparência heráldica.

"O campo era enorme, e não podíamos fazer com que ele coubesse no estúdio", explica Craig. "Caberia no terreno atrás do estúdio, mas não fazia muito sentido, porque a imagem de fundo precisava ser das terras altas da Escócia. E, claro, teria sido *incrivelmente* caro e inconveniente construir na Escócia, então, inevitavelmente, acabou sendo um de nossos primeiros cenários gerados inteiramente por computador." Conforme necessário, seções do estádio foram construídas para cenas de ação, incluindo pelo menos uma arquibancada e um topo de torre.

Conforme os filmes aconteciam e os atletas ficavam mais velhos, o jogo foi se tornando mais extremo. Dementadores e perigosos elementos climáticos causaram problemas em *Harry Potter e o Prisioneiro de Azkaban.* Para *Harry Potter e o Enigma do Príncipe*, Craig recriou o estádio para o que ele chamou de "quadribol de luxo". O fundo montanhoso foi trazido para mais perto, e a campina ao redor, encolhida. As torres foram aumentadas, e outras, acrescentadas, o que as forçou a ficarem mais próximas. As arquibancadas foram reconfiguradas de uma caixa básica para níveis diferentes. "Além do rearranjo que senti ser mais inteligente e mais impressionante, agora Rony ia jogar", observa Craig. O diretor David Yates queria "quadribol de comédia" para a última ocasião em que o jogo seria visto na tela. "Ao introduzir mais torres, houve mais oportunidades de ziguezaguear ao redor delas, e mais coisas passando perto dão uma sensação maior de velocidade, por isso a necessidade de mudanças", diz Craig.

Antes da estreia de Rony Weasley no quadribol, haveria os testes e as partidas de treino do time da Grifinória, para os quais Craig deu ao estádio uma aparência diferente. "Os testes e os treinos não teriam tanto tecido colorido. Para isso, nós mudamos o estádio para uma forma de madeira como um esqueleto." Infelizmente, em *Harry Potter e as Relíquias da Morte – Parte 2*, o campo de quadribol é visto quando os seguidores de Voldemort o incendeiam.

NESTAS PÁGINAS, EM SENTIDO HORÁRIO: *A arte mostra Harry Potter alcançando o pomo de ouro em um jogo de quadribol contra a Sonserina; os dois times seguem para o campo; desenho das arquibancadas por Stuart Craig.*

NESTAS PÁGINAS, EM SENTIDO HORÁRIO: *Arte de Andrew Williamson para uma cena que não foi filmada; arte conceitual do campo de quadribol; Harry e Draco perseguem o pomo de ouro na arte de Adam Brockbank; diferentemente dos livros, o campo de quadribol nos filmes é decorado com todas as cores da escola; professores assistem das arquibancadas.*

"NOSSO TRABALHO É CUIDAR PARA QUE VOCÊ NÃO FIQUE ENSANGUENTADO DEMAIS. NÃO PODEMOS PROMETER NADA, CLARO. É UM JOGO AGRESSIVO, O QUADRIBOL."

Jorge Weasley, *Harry Potter e a Pedra Filosofal*

OCUPANTES: campeões do Torneio Tribruxo, dragões

LOCAÇÕES DE FILMAGEM: Steall Falls, Glencoe, Escócia; Black Rock Gorge, Evanton, Escócia

APARIÇÃO: *Harry Potter e o Cálice de Fogo*

ARENAS DO TORNEIO TRIBRUXO

✶ Primeira Tarefa do Torneio Tribruxo: arena dos dragões ✶

As filmagens na Escócia forneceram o cenário para o encontro de Harry Potter com o dragão Rabo-Córneo húngaro durante a primeira tarefa do Torneio Tribruxo em *Harry Potter e o Cálice de Fogo*. Como costuma fazer, Stuart Craig viu a construção da arena dos dragões como uma forma escultural. "Parecia que a coisa mais simples, crua e interessante que poderíamos fazer era colocá-la em um poço vazio e pedregoso", explica Craig. "Assim, visitamos pedreiras e lugares com pedras afiadas e irregulares." Uma pedreira foi criada no estúdio como base, onde Harry vê o ovo de dragão que é seu objetivo. Acima disso, Craig colocou os espectadores em arquibancadas em um ângulo íngreme, observando a ação. "Há uma enorme cerca de madeira ao redor do topo da arena, e as arquibancadas ficam atrás disso. Assim, ela tem o tipo, concentração e intimidade equivalentes a uma praça de touros. Em seguida, colocamos tudo no alto de uma montanha em Glen Inverness, na Escócia. Se você não a visse com o fundo, acho que ficaria bem comum. Mas a montagem com Glen Inverness deixa o visual impressionante."

"DRAGÕES? ESSA É A PRIMEIRA TAREFA? VOCÊ ESTÁ DE BRINCADEIRA."

Harry Potter, *Harry Potter e o Cálice de Fogo*

NESTAS PÁGINAS, EM SENTIDO HORÁRIO: *A arte de Emma Vane mostra a vista a partir do centro da Arena de Dragões do Torneio Tribruxo; duas locações nas terras altas da Escócia foram usadas para as cenas de fundo da tarefa; um fotograma mostra Harry se protegendo em* Harry Potter e o Cálice de Fogo.

✶ Segunda Tarefa do Torneio Tribruxo: o lago ✶

O lago ao lado do Castelo de Hogwarts é tão parte da silhueta da escola quanto as torres e os pináculos. Ao longo de todos os filmes, vários locais foram usados para retratar o lago, inclusive o lago Virginia Water em Surrey, Inglaterra. É sobre esse lago que Harry voa com Bicuço e, mais tarde, encontra os dementadores em *Harry Potter e o Prisioneiro de Azkaban*, além de também ter sido usado para as cenas da margem em *Harry Potter e o Cálice de Fogo*. Outras locações usadas, principalmente para imagens de fundo, incluem Loch Shiel, Loch Eilt e Loch Arkaig em Lochaber, Escócia.

"MURTA, NÃO EXISTEM SEREIANOS NO LAGO NEGRO, EXISTEM?"

Harry Potter, *Harry Potter e o Cálice de Fogo*

A segunda tarefa do Torneio Tribruxo em *Cálice de Fogo* acontece dentro do lago, e isso foi conseguido através da mistura de filmagens de estúdio e digitais. No entanto, as plataformas para os espectadores no perímetro do lago foram uma escolha inteligente do produtor Stuart Craig. Ele queria colocá-las em uma posição que acrescentasse a quantidade apropriada de drama para quem esperava os campeões reaparecerem do fundo do lago. "Em vez de colocar as pessoas sentadas nas pedras ao redor do lago, sem conseguirem ver muito, me ocorreu colocar essas plataformas de observação um tanto dramáticas no meio do lago." Ele baseou o desenho dessas plataformas em estruturas vitorianas tipo píeres. "Não apenas píeres estacionários na beira da água, mas havia umas estruturas sobre pernas compridas que andavam em trilhos debaixo da água. Essas se tornaram plataformas móveis de observação", explica ele. Telescópios foram concebidos para a observação dos campeões embaixo d'água, mas acabaram não sendo criados para o filme.

ALTO: *Uma imagem montada do lago usada em* Harry Potter e o Cálice de Fogo. ACIMA, À DIREITA: *A arte conceitual mostra Harry no lago, e, em uma arte de Dermot Power, perseguido por grindylows.* POSTERIOR: *Fotogramas e arte conceitual mostram Harry Potter no labirinto.*

OCUPANTES: campeões do Torneio Tribruxo, sereianos, grindylows

LOCAÇÕES DE FILMAGEM: Lago Virginia Water, Surrey, Inglaterra; Loch Shiel, Loch Eilt e Loch Arkaig, Lochaber, Escócia

APARIÇÕES: *Harry Potter e a Pedra Filosofal, Harry Potter e a Câmara Secreta, Harry Potter e o Prisioneiro de Azkaban, Harry Potter e o Cálice de Fogo, Harry Potter e a Ordem da Fênix, Harry Potter e o Enigma do Príncipe, Harry Potter e as Relíquias da Morte – Parte 2*

✶ Terceira Tarefa do Torneio Tribruxo: o labirinto ✶

A última tarefa do Torneio Tribruxo em *Harry Potter e o Cálice de Fogo* é desvendar um labirinto que leva à Taça Tribruxo. "Todos achamos que sabemos como deveria ser um labirinto", diz o diretor de arte Stuart Craig, com um sorriso. "Mas parece que nada em Hogwarts é como pensamos que é." Ele planejou o labirinto para ser mais alto e maior que qualquer coisa que pudesse ser criada na vida real. Os caminhos do labirinto foram criados na proporção de 1,50 metro de largura e 7,50 metros de altura. "É enevoado e completamente desorientador, perturbador. As coisas se movem e atacam, mas tudo, como você sabe, só leva até o cemitério, onde acontece o confronto final." Craig "colocou" o labirinto perto de Fort William, nas terras altas, perto de Glen Nevis, Escócia. "Estávamos naquele vale espetacular, pensando na área que o labirinto deveria ocupar. Bem, o objetivo dele é encontrar o centro, que não deve ser fácil. Então, vamos torná-lo o mais difícil possível, para que o labirinto todo tenha 3,20 quilômetros de comprimento e 800 metros de largura, e ocupe todo o vale. O exagero é uma das melhores armas em nosso arsenal", diz ele.

OCUPANTES: campeões do Torneio Tribruxo

APARIÇÃO: *Harry Potter e o Cálice de Fogo*

"SABE, AS PESSOAS MUDAM NO LABIRINTO."

Alvo Dumbledore, *Harry Potter e o Cálice de Fogo*

O supervisor de efeitos especiais John Richardson recebeu a tarefa de criar o labirinto móvel. A equipe de Richardson construiu uma seção do labirinto com 12 metros de comprimento e paredes que se moviam de forma independente, ondulando e se inclinando, se aproximando e se afastando. "O labirinto tinha que se mover como se os estivesse perseguindo, como se fosse esmagá-los, mas é claro que instalamos mecanismos contra falhas." As paredes eram de aço pesado, para poderem ser fortes o bastante para se sustentar, e se moviam através de um complexo sistema hidráulico, que permitia controle completo aos operadores. O labirinto foi incrementado com efeitos digitais, mas também se usou efeitos práticos, como uma névoa de gelo seco que molhou todo o cenário. Robert Pattinson (Cedrico Diggory) achou a autenticidade dos efeitos útil na hora de atuar. "Havia explosões de verdade acontecendo, e o labirinto todo [estava] se movendo, então você realmente sai correndo, temendo por sua vida!", argumentou.

ABRIGO DE BARCOS

Há ocasiões em que transformar um livro em filme pede "locações mais teatrais e exageradas", diz Stuart Craig. Nos últimos livros da série, Severo Snape morre na Casa dos Gritos, mas essa não parecia ser a solução ideal para a versão cinematográfica. Apesar de a Casa dos Gritos como cenário de cinema ser ricamente decorada, é mais interessante por fora que por dentro", explica Craig. Ele sempre achou que o abrigo de barcos de Hogwarts, por onde os alunos do primeiro ano chegam em *Harry Potter e a Pedra Filosofal*, tinha sido negligenciado nos filmes. "Eu lamentava um cenário potencialmente interessante nunca ter sido explorado. Assim, procuramos J. K. Rowling e perguntamos especificamente se ela se importaria se Snape morresse

"VOCÊ TEM OS OLHOS DA SUA MÃE."

Professor Severo Snape, *Harry Potter e as Relíquias da Morte – Parte 2*

no abrigo de barcos. Felizmente, ela concordou." Craig planejou a estrutura completa, dando a ela paredes de janelas. "Era uma estrutura gótica muito básica, com muitos painéis de vidro e metal. Parecido com o Palácio de Cristal." Situado no pé de um penhasco embaixo de Hogwarts, o abrigo oferecia "um excelente reflexo da escola em chamas. Parecia mágico Hogwarts estar queimando acima, e havia uma sensação das chamas sendo refletidas no vidro. Isso criou um lugar muito sentimental e um excelente ambiente. Um local merecedor da morte de Snape". Depois que a cena foi filmada, Alan Rickman, que faz o papel de Severo Snape, expressou sua gratidão pela escolha do local, que disse tê-lo ajudado. "Isso é tão incomum, e é tão gratificante saber que ele ficou satisfeito", diz Craig.

ACIMA E À DIREITA: *Lorde Voldemort (Ralph Fiennes) e Severo Snape (Alan Rickman) no cenário do abrigo de barcos.* POSTERIOR, NO ALTO: *Vistas da construção do abrigo de barcos para* Harry Potter e as Relíquias da Morte – Parte 2.

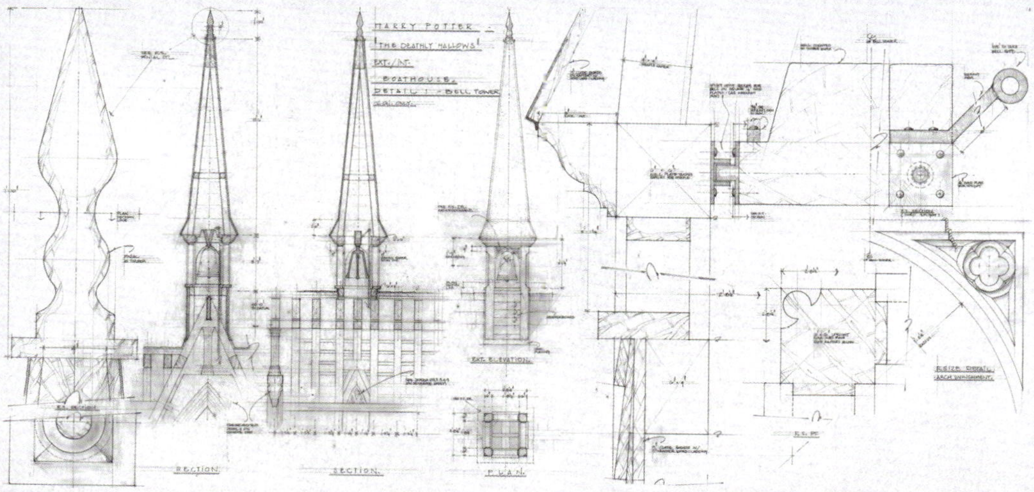

APARIÇÃO: *Harry Potter e as Relíquias da Morte – Parte 2*

CAPÍTULO 7

HOGSMEADE

"LEMBREM-SE, ESSAS VISITAS AO VILAREJO DE HOGSMEADE SÃO UM PRIVILÉGIO."

Professora McGonagall, *Harry Potter e o Prisioneiro de Azkaban*

ALTO: *Arte conceitual do vilarejo de Hogsmeade por Andrew Williamson.* POSTERIOR: *A vista da construção (embaixo, à direita) mostra a inclinação de uma rua de Hogsmeade, também vista em um modelo bastante realista (embaixo, à esquerda).*

VILAREJO DE HOGSMEADE

O vilarejo de Hogsmeade é o primeiro "passeio escolar" fora de Hogwarts, permitido a alunos a partir do terceiro ano. Harry Potter e os colegas de turma o visitam pela primeira vez em *Harry Potter e o Prisioneiro de Azkaban*, embora Harry precise usar um túnel secreto até a Dedosdemel para chegar ali, por não ter conseguido assinatura no formulário de autorização.

Stuart Craig contemplou o vilarejo de Hogsmeade como localizado nas terras altas escocesas. "Hogsmeade é a versão cidade pequena do Beco Diagonal. Fica nos arredores de Hogwarts. Para Hogsmeade, precisávamos de um tema e uma atmosfera distintos, assim dissemos que fica acima da linha da neve. Isso deu uma sensação remota ao local. Cada vez que vemos Hogsmeade, o vilarejo está coberto de neve." A decisão artística de Craig trouxe vida cinematográfica à descrição dada pela autora J. K. Rowling em *Prisioneiro de Azkaban*: "Hogsmeade parecia um cartão de Natal."

Hogsmeade foi, na verdade, uma rearrumação do cenário do Beco Diagonal. As casas de Hogsmeade, cobertas com o mesmo granito encontrado nas montanhas escocesas, exibiam características da arquitetura escocesa do século XVII: telhados inclinados com gabletes escalonados, janelinhas estilo lucarna e altas chaminés estreitas. Apesar de coberto de neve, o vilarejo tem uma atmosfera simpática. "Ele é alegre", diz Craig. "É frio e difícil por fora, mas cada vitrine é quente, convidativa e cheia de coisas mágicas, como cerveja amanteigada e doces deliciosos." Sendo a cópia do Beco Diagonal em altas altitudes, quase não há ângulos nas construções; elas se inclinam de forma similar. O assistente de direção de arte Gary

OCUPANTES: moradores, alunos e professores de Hogwarts

LOCAÇÃO DE FILMAGEM: Leavesden Studios

APARIÇÕES: *Harry Potter e o Prisioneiro de Azkaban, Harry Potter e a Ordem da Fênix, Harry Potter e as Relíquias da Morte – Parte 2*

Tomkins relembra: "Tivemos discussões infinitas sobre como uma moldura de porta se moveria ou como uma janela se inclinaria. Cada construção era torta, dobrada ou irregular, com cada uma inclinada para um lado diferente da construção vizinha. Não havia uma parede vertical por perto!"

A neve que cobre as construções e ruas de Hogsmeade era feita de sal dendrítico. "O sal que você coloca na batata frita é seco e refinado", diz Tomkins. "O sal dendrítico se amontoa como neve quando você o espalha. Faz até um barulho de neve recém-caída quando pisado."

Na verdade, essa mesma "neve" caía em um modelo do vilarejo, usado para filmagens contextuais e cenas longas, jogado de uma plataforma elevatória. O modelo preencheu o resto do vilarejo que não foi feito em tamanho normal, e é tão detalhado quanto o set de filmagens. Lampiões de metal que funcionavam ficam em frente às casas para iluminar a rua. Dentro, as lojas são iluminadas por lâmpadas elétricas minúsculas, que também iluminam as vitrines das lojas, cheias de mercadoria até o topo. Há potes de doces na Dedosdemel e caldeirões empilhados em frente à filial de Hogsmeade da Loja de Caldeirões. A Loja de Penas Escriba exibe penas incrivelmente pequenas nas vitrines, e vassouras em miniatura foram criadas para a loja de artigos esportivos Spintwitches. "Seria natural achar que poderíamos usar peças de casinha de boneca, mas não se encontram muitos caldeirões e gaiolas de coruja. Fizemos noventa por cento do que existe na frente das lojas", diz Tomkins. Ele montava uma exibição de adereços, como chapéus de bruxa ou gaiolas de coruja, tirava fotos, reproduzia em proporção menor e colava a foto em papel cartão, depois colocado atrás da vitrine. Tomkins também "ocupou" a rua de Hogsmeade. "Pegamos dois palitos e colocamos pezinhos dentro da escala; depois fizemos as pegadas pela neve, saindo de algumas das portas e subindo a rua. Fizemos até pegadas de cachorro, para parecer que alguém passeou com o cachorro pelo vilarejo!", explica ele.

NESTA PÁGINA, EM SENTIDO HORÁRIO: *Maquete de papel de Hogsmeade; sal dendrítico, imitação de neve comum em filmes, jogado sobre o cenário, e os modelos de Hogsmeade; a equipe no cenário de Hogsmeade.* DIREITA: *A arte conceitual mostra uma visão de rua de Hogsmeade, a Casa dos Gritos ao fundo.*

ESTAÇÃO DE HOGSMEADE

A estação de Hogsmeade é o ponto de chegada e partida para os alunos que pegam o Expresso de Hogwarts. Em *Harry Potter e a Pedra Filosofal*, Hagrid recebe os alunos de primeiro ano ali, e, no fim do filme, leva-os de volta ao Expresso de Hogwarts, para as férias de verão. As cenas de *Pedra Filosofal* foram filmadas na Estação de Goathland, parada de uma popular linha de trem histórica, controlada pela North Yorkshire Moors Railway. A estação, construída em 1865, precisou de bem poucas mudanças além da alteração das placas e da inserção digital do castelo ao fundo para levá-la ao mundo bruxo. Para sua aparição em *Harry Potter e a Ordem da Fênix*, em que os alunos desembarcam e são transferidos para as carruagens puxadas por testrálios, a estação e uma seção dos trilhos foram recriados em Black Park, uma locação usada ao longo dos filmes para representar a Floresta Proibida.

OCUPANTES: passageiros do Expresso de Hogwarts

LOCAÇÕES DE FILMAGEM: Estação Goathland, North Yorkshire, Inglaterra; Black Park, Buckinghamshire, Inglaterra

APARIÇÕES: *Harry Potter e a Pedra Filosofal, Harry Potter e a Ordem da Fênix*

ACIMA E ANTERIOR, EMBAIXO: *As artes conceituais mostram a chegada dos alunos de Hogwarts à estação de Hogsmeade.* DIREITA: *Uma vista da estação de Goathland.*

CASA DOS GRITOS

A Casa dos Gritos é uma estrutura frágil e instável situada em uma colina perto do vilarejo de Hogsmeade. Durante os eventos de *Harry Potter e o Prisioneiro de Azkaban*, descobre-se que a casa foi criada para abrigar Remo Lupin durante suas transformações em lobisomem na época em que era aluno de Hogwarts.

Stuart Craig sabia que a icônica Casa dos Gritos precisava da própria personalidade. "Precisava estalar e se mover, como se fosse constantemente maltratada pelo vento", descreve ele. Ele convocou os supervisores de efeitos especiais John Richardson e Steve Hamilton para construir o cenário. Primeiro, foi criado um modelo em miniatura para determinar o movimento da construção. Em seguida, um cenário em tamanho real foi construído em uma plataforma hidráulica, como uma estrutura dentro de uma estrutura. "Tinha uma moldura de aço enorme que era empurrada pelo equipamento hidráulico. Em seguida, construímos o cenário para ficar preso na moldura", explica Craig. Por causa da quantidade de sacolejo, o movimento não ficava confinado apenas às paredes. "A porta balança para a frente e para trás, as janelas se abrem e se fecham, o tecido da parede meio que sacode… a sala toda literalmente se move." O diretor Alfonso

Cuarón acrescenta: "Foi ideia de Stuart que tudo ficasse tremendo e balançando. Assim, um cenário enorme foi construído com essa estrutura, que permitia que a construção se movesse para um lado e para o outro. Algumas pessoas ficaram enjoadas só de olhar as paredes se movendo assim!"

Craig também foi influenciado pelo próprio Remo Lupin. "A jornada até a Casa dos Gritos representa o terrível processo que Lupin sofre durante sua transformação em lobisomem", diz ele. A sala, que ele presumiu ser mobiliada com móveis de Hogwarts, foi dizimada e reflete o tormento interior de Lupin. "Lupin tem uma cama que já foi esplêndida e agora está completamente destruída e dilapidada. Para mim, esse quarto foi desenhado para exibir a história dessas transformações terríveis, da enorme agonia e da violência e dano que ele causou ao lugar." Craig e sua equipe, com trabalho árduo, encararam o desafio da construção complicada e do design detalhado, e isso contribuiu para a atmosfera emocional da casa.

A casa também ofereceu desafios ao diretor e aos atores. Alfonso Cuarón explica: "Tudo precisava estar poeirento. Portanto, para a primeira tomada, tudo foi coberto de pó e nós executamos a filmagem. Quando chegamos à segunda tomada, tivemos que encher tudo de poeira novamente, porque dava para ver as pegadas de todo mundo. E, mais uma vez, tomada atrás de tomada." Daniel Radcliffe (Harry Potter) diz: "O estalar das paredes às vezes era tão alto que não se podia ouvir o que o outro dizia."

Craig tem orgulho do fato de os espectadores possivelmente não verem, mas conseguirem sentir as camadas de detalhes usados para dar vida à casa. "Se você olhar com atenção, consegue ver que dentro da moldura de aço dos efeitos especiais há uma moldura de madeira. Há tábuas exteriores tanto quanto interiores, internas. E a coisa toda é coberta com uma tapeçaria de seda." Ele acredita que a tecnologia em constante desenvolvimento justifica essa atenção aos detalhes. "Acho que em qualquer era do cinema, o que você em parte via e em parte entendia sempre teve seu papel. Mas, na época dos DVDs, em que os espectadores podem parar uma cena e analisá-la, nenhum detalhe é desperdiçado, no meu ponto de vista."

OCUPANTES: Os Marotos (Remo Lupin, Tiago Potter, Sirius Black, Pedro Pettigrew)

APARIÇÃO: *Harry Potter e o Prisioneiro de Azkaban*

NESTAS PÁGINAS, EM SENTIDO HORÁRIO: *Um modelo do exterior da Casa dos Gritos foi construído; o cenário da sala como visto em* Harry Potter e o Prisioneiro de Azkaban; *a arte conceitual de Adam Brockbank mostra Rony e Hermione se aproximando da cabana.*

CABEÇA DE JAVALI

Para convencer os integrantes em potencial a se afiliarem à recém-estabelecida Armada de Dumbledore em *Harry Potter e a Ordem da Fênix*, os alunos de Hogwarts se reuniram no pub Cabeça de Javali, um lugar um tanto decadente que Hermione acredita poder oferecer privacidade. Ao entrar no estabelecimento, os alunos não conseguem deixar de reparar na representação do nome na entrada: pendurada na parede, uma grande cabeça de javali que revira os olhos, funga e baba "profusamente", de acordo com Nick Dudman, um supervisor de efeitos de criaturas e artista de maquiagem de efeitos especiais. Dudman elaborou a cabeça para que tivesse movimentos amplos. "É um acréscimo cômico", explica ele. "E esse tipo de coisa é sempre prazeroso de se fazer, mesmo sendo uma piada única que só vai ajudar em uma cena ou oferecer uma distração por um minuto." Embora a piadinha seja vista apenas rapidamente na tela, Dudman e sua equipe dedicaram tanta atenção ao animatrônico quanto a qualquer outra criatura dos filmes. "Muito tempo é gasto para se criar uma coisa assim. A cabeça precisa ser esculpida e modelada, depois a pele é produzida com silicone, depois é pintada." O aspecto que mais exigiu tempo foi inserir, individualmente, cada pelo na cabeça. "Mas isso cria um realismo que não se consegue de outro jeito", acrescenta ele.

O Cabeça de Javali é um exagero de um típico pub londrino. "Os ingredientes icônicos estão ali, as pesadas vigas de carvalho, as paredes inclinadas, o chão irregular", observa Stuart Craig. "Mas ele se inclina mais que qualquer pub verdadeiro poderia. As vigas de carvalho são mais pesadas do que se encontraria em um pub de verdade. É mais decrépito, e a madeira está mais carcomida do que espera-se encontrar em um pub real."

OCUPANTES: Aberforth Dumbledore, Armada de Dumbledore

APARIÇÕES: *Harry Potter e a Ordem da Fênix, Harry Potter e as Relíquias da Morte – Parte 2*

NESTAS PÁGINAS, EM SENTIDO HORÁRIO: *Desenho da cabeça de javali animatrônica; a arte de Andrew Williamson mostra a perspectiva do barman; Neville Longbottom (Matthew Lewis) surge de trás do retrato de Ariana Dumbledore; a cabeça de javali vista em* Harry Potter e a Ordem da Fênix; *arte de Andrew Williamson.*

OCUPANTES: Madame Rosmerta, alunos e professores de Hogwarts

LOCAÇÃO DE FILMAGEM: Leavesden Studios

APARIÇÕES: *Harry Potter e o Prisioneiro de Azkaban, Harry Potter e o Enigma do Príncipe*

ALTO: *Na arte de Andrew Williamson, Harry, Rony e Hermione seguem Hagrid e a professora McGonagall até o Três Vassouras.* POSTERIOR: *Fotos do interior do Três Vassouras.*

TRÊS VASSOURAS

O Três Vassouras é visto rapidamente em *Harry Potter e o Prisioneiro de Azkaban*, quando Harry Potter (coberto com a Capa da Invisibilidade) segue a professora McGonagall, o ministro da Magia Cornélio Fudge e Madame Rosmerta escada acima e ouve secretamente a conversa sobre Sirius Black. A sala em que eles se encontraram repete as paredes entalhadas no estilo Tudor do Caldeirão Furado. Na verdade, o Três Vassouras poderia ser o equivalente em Hogsmeade ao Caldeirão Furado, com a decoração adicional das cabeças de animais empalhadas nas paredes.

O Três Vassouras é todo detalhes, sem desperdício de garrafa alguma. Há barris de cerveja amanteigada, jarras e canecas. Debaixo de um arco com vigas largas, uma enorme lareira arde na extremidade da sala, a parede acima decorada por troféus com chifres de variados tamanhos. Há até um pequeno sino no bar, usado para o toque tradicional, que avisa a hora da última bebida da noite. O departamento gráfico forneceu rótulos para as bebidas do bar, inclusive uísque de fogo de Blishen e conhaque de barril de dragão, e colocaram rótulos na comida do bar, que seriam populares tanto no mundo bruxo quanto no mundo trouxa: batata frita gato preto e as famosas nozes enfeitiçadas produzidas pelo Três Vassouras (torradas no local).

"A LOJA DEDOSDEMEL É INCRÍVEL."

Rony Weasley, *Harry Potter e o Prisioneiro de Azkaban*

DEDOSDEMEL

Cheia de doces até o teto, a Loja de Doces Dedosdemel é famosa entre as crianças do mundo bruxo. Para *Harry Potter e o Prisioneiro de Azkaban*, como parte da rearrumação do Beco Diagonal para que se tornasse o vilarejo de Hogsmeade, a Dedosdemel foi colocada onde era originalmente a Olivaras em *Harry Potter e a Pedra Filosofal*, e se tornou a Floreios e Borrões em *Harry Potter e a Câmara Secreta*. Enquanto as encarnações anteriores do cenário eram repletas de caixas de varinhas e livros, a Dedosdemel tem doces do chão ao teto, inclusive dispensadores altos de Feijõezinhos de Todos os Sabores e vidros de Jelly Slugs. A decoração é tão colorida quanto os produtos, com prateleiras pintadas de verde-hortelã e toques de cor-de-rosa algodão-doce. Os designers gráficos Miraphora Mina e Eduardo Lima criaram as embalagens de todas as mercadorias, que variam de Flocos Glaciais de Neve que derretem na boca e Balas Intensas de Menta Quebra-dente a Asas Açucaradas de Madame Borboleta e Gotas Malucas Lima. O departamento de adereços produziu pilhas de esqueletos de chocolate e, como uma referência à herança mexicana do diretor Alfonso Cuarón, há fileiras de *calaveras*, as balas de açúcar com decoração vibrante no formato de crânio tradicionalmente feitas para as comemorações do Dia dos Mortos. Para impedir que os atores comessem todos os adereços, eles foram avisados de que as balas estavam cobertas por verniz, o que, na verdade, era uma mentira bem-intencionada.

NESTAS PÁGINAS: *Fotos do cenário colorido da Dedosdemel, tiradas de* Harry Potter e o Prisioneiro de Azkaban.

OCUPANTES: fregueses da Dedosdemel

APARIÇÃO: *Harry Potter e o Prisioneiro de Azkaban*

CAPÍTULO 8

MINISTÉRIO DA MAGIA

MINISTÉRIO DA MAGIA

Stuart Craig queria garantir que o Ministério da Magia exibisse a seriedade necessária para representar qualquer ramo austero do governo, e como esse seria o maior cenário construído no estúdio, também queria um ótimo visual. "Eu me fiz várias perguntas", relembra ele. "O que daria credibilidade ao local? O que me permitiria fazer uma abordagem visual? O que separaria esse cenário dos outros e o tornaria único e interessante?" A primeira tarefa era localizá-lo. "Primeiro, isso é um mundo subterrâneo, mas o principal é que é um ministério. Decidimos que nosso ministério mágico era uma espécie de universo paralelo aos ministérios trouxas, e concluímos que seria divertido colocá-lo debaixo do Ministério da Defesa do governo britânico."

"NÃO ENTENDO. O QUE O MINISTÉRIO DA MAGIA TEM CONTRA MIM?"

Harry Potter, *Harry Potter e a Ordem da Fênix*

Como pesquisa para a locação subterrânea, Craig e sua equipe visitaram a rede de túneis e estações do metrô de Londres. "Visitamos a mais antiga das estações do metrô de Londres, construída no início dos anos 1900, sendo que muitas delas usavam uma quantidade extravagante de azulejos decorativos de cerâmica. O uso de cerâmica era lógico, claro, por causa da posição abaixo do nível do mar. Mas as cores dos azulejos e o uso de colunas clássicas e elementos decorativos foram inspiração para o design, e eram fotograficamente muito interessantes." Craig também sabia que, como o interior era subterrâneo, não haveria luz natural, e os azulejos brilhosos refletiriam a luz existente. O átrio do Ministério foi construído com vermelhos e verdes-escuros e pretos, que cercavam enormes lareiras douradas ligadas à rede de pó de flu. Craig fez o local semelhante à estação de Waterloo às 8 horas da manhã. "Há um caminho enorme que leva a um corredor gigantesco, que vemos pela primeira vez com todo mundo indo trabalhar, só que, em vez de sair dos trens, as pessoas aparecem em lareiras."

Cada funcionário do Ministério recebeu uma pasta e outros artigos profissionais. A cenógrafa Stephenie McMillan também inseriu ao átrio uma banca de jornal vendendo *O Profeta Diário* e um carrinho vendendo café e bolinhos chamado "Ministry Munchies". Mas "o Ministério é uma burocracia, e desenvolvimentos sinistros estão acontecendo. [O ministro da Magia] Fudge é uma figura dominadora e icônica", lembra Craig. Ele e o diretor David Yates se inspiraram nos pôsteres de propaganda da antiga União Soviética na hora de colocar no átrio uma grande faixa de Cornélio Fudge, que observa os funcionários. "Há uma artificialidade no fato de ser subterrâneo, sem visão do mundo", diz Craig. O cenário físico tem quase 70 metros de comprimento,

ACIMA: *Há uma faixa pendurada no átrio com um orgulhoso e forte Cornélio Fudge (Robert Hardy), ministro da Magia.* DIREITA: *Na arte conceitual de Andrew Williamson, Harry é acompanhado por Arthur Weasley a caminho de um julgamento que precisa enfrentar por ter produzido um Patrono na presença de um trouxa.*

e isso ainda foi aumentado por computação gráfica, quadruplicando o que é visto na tela. "Mas a altura era o máximo que o local nos permitia, tínhamos apenas 9 metros para trabalhar." Só dois andares das colunas infinitas de salas com janelas do Ministério puderam ser construídos, e o resto foi feito digitalmente. Stephenie McMillan precisou decorar 14 salas, e, para combinar com o ambiente do mundo mágico, nenhum equipamento de escritório podia usar eletricidade. "Nunca pudemos usar eletricidade", diz McMillan, rindo. "Assim, cada sala foi decorada com uma máquina de escrever e lampiões a óleo com cabos especialmente compridos. Precisamos usar arquivos e gavetas feitos de papelão nos fundos das salas, senão teríamos um problema de peso." Na verdade, só dublês puderam ocupá-las.

No clímax de *Ordem da Fênix*, Dumbledore e Voldemort travam uma batalha mágica no átrio que, em determinado ponto, explode o que pareciam ser mais de duzentas janelas do Ministério. O supervisor de efeitos especiais John Richardson usou efeitos práticos explosivos mesclados a detritos adicionais. "A parte prática teve que funcionar na primeira tomada, e fico feliz em dizer que funcionou", relembra Richardson. No estilo típico do cinema, a batalha destrutiva no átrio foi marcada para acontecer primeiro, o que exigiu uma faxina gigantesca para devolver o local ao estado impecável antes que as cenas iniciais da sequência pudessem ser filmadas.

OCUPANTES: Os ministros da Magia Fudge, Scrimgeour e Thicknesse, funcionários do ministério

LOCAÇÃO DE FILMAGEM: Leavesden Studios

APARIÇÕES: *Harry Potter e a Ordem da Fênix, Harry Potter e as Relíquias da Morte – Parte 1*

ANTERIOR: *Substitutos ocupam o cenário do átrio.* ALTO: *A arte conceitual de Andrew Williamson mostra uma mulher de capa atravessando o átrio em* Harry Potter e a Ordem da Fênix. ACIMA, À ESQUERDA: *Outro trabalho de Williamson mostra o átrio destruído após uma batalha entre Lorde Voldemort e Dumbledore.*

OCUPANTES: Suprema Corte dos Bruxos, Comensais da Morte

LOCAÇÃO DE FILMAGEM: Leavesden Studios

APARIÇÕES: *Harry Potter e o Cálice de Fogo, Harry Potter e a Ordem da Fênix, Harry Potter e as Relíquias da Morte – Parte 1*

SALA DO TRIBUNAL

Quando Harry olha pela primeira vez dentro da Penseira na sala do diretor em *Harry Potter e o Cálice de Fogo*, entra nas lembranças de Dumbledore sobre os julgamentos dos Comensais da Morte feito pela Suprema Corte dos Bruxos na Sala do Tribunal do Ministério da Magia. Como, pela perspectiva de Harry, ele "cai" na sala, a verticalidade era necessária, e, com a ajuda dos efeitos visuais, a descida do teto da câmara octogonal tem a altura de 16 andares (cerca de 50 metros). Stuart Craig elaborou a sala em um estilo inédito nos filmes. "Minha inspiração veio das antigas igrejas bizantinas. A cidade de Bizâncio ficava onde agora é Istambul, na Turquia, e fazia parte do Império Romano no século V. O estilo envolve arcos e domos, diferentemente do estilo gótico prevalecente de tantas locações." A escolha de usar o estilo de uma cultura antiga deu ao tribunal a sensação de também ser antigo. Embora a configuração apertada da sala passe uma ideia de constrição e intimidação, a sala é capaz de acomodar duzentas pessoas. "Tem um visual mais opressivo e mais escuro do que usamos nos filmes anteriores, mas a sala precisava expressar o clima da sequência", explica Craig. Como a sala do tribunal fica bem no fundo do Ministério, não tem fonte de luz exterior. Quatro chamas enormes brilham em vermelho e dourado em nichos dentro de alcovas altas. O piso e as colunas ao redor foram finalizados com papel marmorizado, mesma técnica utilizada no piso do Banco Gringotes (e do tabuleiro de xadrez bruxo gigantesco em *Harry Potter e a Pedra Filosofal*), com folhas de papel mergulhadas em tinas com água e tinta a óleo e finalizadas com pincéis. As numerosas colunas de mármore também foram pintadas de dourado para refletir a luz do fogo. A sala traz as marcas

"AS ACUSAÇÕES CONTRA O RÉU SÃO AS SEGUINTES..."

Cornélio Fudge, *Harry Potter e a Ordem da Fênix*

do tempo; as paredes são rachadas e com camadas de tinta descascando. Nas paredes há também murais inspirados naqueles das igrejas bizantinas, reinterpretados com iconografia bruxa. No centro da sala do tribunal há uma jaula de metal que aprisiona o foco do interrogatório da corte, na lembrança de Dumbledore. "Parece com as damas de ferro medievais", explica Craig. "O diretor Mike Newell estava determinado a fazer com que parecesse um instrumento de tortura, então acrescentamos pontas ameaçadoras viradas para a testemunha ali dentro."

Em *Harry Potter e a Ordem da Fênix*, Harry é chamado à sala do tribunal para enfrentar a acusação de prática de magia por menores. A sala do tribunal foi repensada e expandida para o filme. "Nós literalmente dobramos o tamanho", descreve Craig. "A sala manteve a simetria, que era importante, mas construímos outro octógono e juntamos os dois." A sala não tem mais a papelada empilhada da encarnação anterior e está em mais harmonia com o design cheio de azulejos do átrio e do corredor do Ministério. Embora com tamanho dobrado, ainda há apenas quatro fontes de luz do fogo, e a sala ganha sombras escuras e estéreis.

Disfarçados pelo uso da Poção Polissuco, Harry, Rony e Hermione entram na sala do tribunal em *Harry Potter e as Relíquias da Morte – Parte 1* para roubar o medalhão usado por Dolores Umbridge, que é uma Horcrux. Talvez seja uma sala diferente, pois a do tribunal agora encolheu para um único octógono e está coberta de azulejos de cerâmica verde-escuros, quase pretos.

NESTAS PÁGINAS, EM SENTIDO HORÁRIO: *A arte conceitual mostra a câmara octogonal vista de cima; um fotograma de* Harry Potter e o Cálice de Fogo *exibe as colunas de folhas douradas e os afrescos bizantinos da sala; para o julgamento em* Harry Potter e a Ordem da Fênix, *a sala foi ampliada para incorporar os azulejos vitorianos vistos no filme; a jaula de prisioneiros foi inspirada em instrumentos de tortura medievais.*

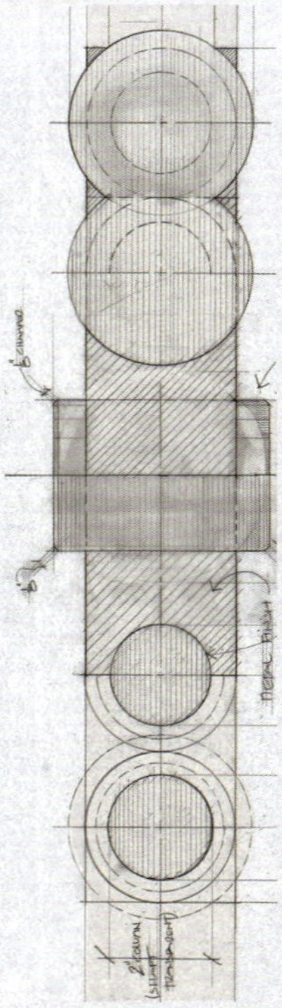

OCUPANTES: Armada de Dumbledore, Comensais da Morte

APARIÇÃO: *Harry Potter e a Ordem da Fênix*

97.131

SALA DAS PROFECIAS

Atraído por uma falsa visão plantada por Voldemort, Harry Potter corre até o Departamento de Mistérios do Ministério para salvar Sirius Black em *Harry Potter e a Ordem da Fênix*. Acompanhado dos amigos da Armada de Dumbledore (Rony e Gina Weasley, Hermione Granger, Neville Longbottom e Luna Lovegood), ele entra em uma sala cheia de centenas de esferas de todos os tamanhos — a Sala das Profecias.

A Sala das Profecias foi o primeiro cenário totalmente virtual criado para os filmes de *Harry Potter*. A decisão de criá-la digitalmente não foi fácil. "Fizemos muitos testes de filmagem e tivemos debates infinitos", explica Stuart Craig. "Começar com uma coisa construída e seguir com ela por computação gráfica nem sempre é fácil. Às vezes, é melhor criar o mundo todo." A iluminação da sala e o que tinha nela foram, talvez, os fatores mais convincentes para que não fosse construído um cenário de verdade. "Nós queríamos que as profecias fossem uma espécie fraca de fonte de luz ambiente e que se intensificassem e se apagassem quando os alunos passassem por elas", explica ele. "É muito difícil fazer isso sem que pareçam algum tipo de ligação elétrica. Ao gerar no computador, é possível ter toda a magia e toda a sutileza do mundo."

"HARRY? TEM SEU NOME AQUI."

Neville Longbottom, *Harry Potter e a Ordem da Fênix*

Os conceitos iniciais exigiram que uma pequena área do cenário fosse criada. Stephenie McMillan e sua equipe receberam o pedido de construir um corte das estantes e de preenchê-lo com as esferas de profecia rotuladas, que variavam de 5 a 45 centímetros de diâmetro. "Acho que tínhamos que fazer uns 13 mil globos ao todo, que seriam úteis para a imagem de fundo. Os da frente seriam feitos pelos efeitos especiais", relembra ela. Mas logo surgiu uma nova consideração. Na conclusão da cena, cada prateleira de esferas de vidro cairia e se quebraria, uma coisa que os produtores sabiam que tinha que ser feita digitalmente pela segurança dos atores. Isso selou a decisão de partir para o digital. McMillan, a recicladora de adereços contumaz, usou algumas das esferas como dispensadores de bebidas no carrinho de café Ministry Munchies! A cena foi filmada em uma sala com tela verde, com um caminho marcado no chão e molduras simples das estantes para os atores poderem se orientar; e tudo isso oferecia aos artistas digitais uma geografia lógica do salão. Em seguida, as estantes e globos digitais foram duplicados infinitamente.

NESTAS PÁGINAS, EM SENTIDO HORÁRIO: *Harry, Rony, Hermione, Neville, Luna e Gina são perseguidos por Comensais da Morte na Sala das Profecias; uma vista das esferas e prateleiras que foram construídas antes da renderização no computador; a arte conceitual de Andrew Williamson mostra a quantidade de estantes na sala; uma amostra de esferas de verdade foi criada pelo departamento de adereços; as prateleiras da sala foram marcadas com placas numeradas.*

NESTAS PÁGINAS, EM SENTIDO HORÁRIO: *Harry e integrantes da Armada de Dumbledore entram no Departamento de Mistérios; as artes conceituais mostram a batalha na qual Sirius Black cai no Véu e morre; Belatriz Lestrange (Helena Bonham Carter) e Sirius Black (Gary Oldman) no cenário do Departamento de Mistérios.*

COMISSÃO DE REGISTRO DOS NASCIDOS TROUXAS

OCUPANTE: Dolores Umbridge

APARIÇÃO: *Harry Potter e as Relíquias da Morte – Parte 1*

Em *Harry Potter e as Relíquias da Morte – Parte 1*, Harry Potter entra no Ministério da Magia disfarçado pela Poção Polissuco e segue até a Comissão de Registro dos Nascidos Trouxas, um novo departamento montado para perseguir bruxos que nasceram trouxas, a fim de achar o medalhão Horcrux que agora está com Dolores Umbridge.

Em uma grande sala de azulejos pretos, a Comissão de Registro dos Nascidos Trouxas elabora ativamente literatura propagandista que voa das mesas para as caixas de entrada. "Fizemos 48 mesas para os funcionários que elaboravam livretos antitrouxa debaixo de um cenário enorme com teto abobadado", diz Stephenie McMillan. A sala tem colunas douradas com capitéis coríntios. O carpete da sala é roxo, uma cor que Stuart Craig vinha lentamente acrescentando como detalhe no estilo do Ministério, contornado por meandros gregos.

A nova sala de Dolores Umbridge é, como Stuart Craig descreve, "outro ensaio em cor-de-rosa", embora ele admita que "conforme o filme foi ficando mais sombrio, os cenários também foram ficando literalmente mais escuros". A sala de Umbridge fica de frente para o átrio do Ministério, então há uma fonte de luz que ilumina a sala, mas essa luz é diminuída pelas paredes com azulejos verde-escuros, quase pretos. Os capitéis das colunas coríntias douradas vistas na sala coletiva agora são substancialmente maiores, em cima de bases de coluna azulejadas. "Mas a sala de Umbridge no Ministério ainda tem vários elementos e muita mobília que era da sala de Hogwarts", diz McMillan. O tapete rosa e a mobília francesa foram transferidos, assim como a maioria dos pratos de gatinho, embora o escritório escuro não permitisse o uso dos gatos em movimento sobre tela azul.

A arte conceitual de Andrew Williamson mostra a sala em que um grupo de funcionários cria livretos antitrouxa (abaixo e à direita) em frente à sala particular de Dolores Umbridge (posterior, no alto).

"SANGUES-RUINS E OS PERIGOS QUE OFERECEM À SOCIEDADE PACÍFICA DE PURO SANGUE."

Panfleto distribuído pela Comissão de Registro dos Nascidos Trouxas, *Harry Potter e as Relíquias da Morte – Parte 1*

CAPÍTULO 9

LARES BRUXOS

LARGO GRIMMAULD

Em *Harry Potter e a Ordem da Fênix*, Harry Potter é escoltado por integrantes da Ordem da Fênix até o número 12 do Largo Grimmauld, o velho lar da Nobre Casa dos Black. Lá, ele se junta aos Weasley, a Sirius Black e outros, que discutem planos para deter o exército de Voldemort. Magicamente, o número 12 do Largo Grimmauld só é visível para quem sabe que está ali. "O Largo Grimmauld aparece de trás de uma calha", explica Stuart Craig. "Começa com uma dimensão, depois se desenvolve em duas e em três, quando os degraus da frente se projetam e as janelas recuam." Craig sempre sentiu que a locação natural para o Largo Grimmauld seria em uma das praças georgianas de Londres, entre as casas do início do século XIX. A fachada física de seis casas foi construída no estúdio e o surgimento do Largo Grimmauld, obtido digitalmente. Depois, acrescentaram efeitos especiais à materialização: um aquário treme, cortinas voam, e poeira cai do telhado.

"O exterior é típico daquele período", reitera Craig. "O que é atípico, claro, é a forma como a casa aparece magicamente. Tentamos refletir isso do lado de dentro também, tendo um espaço estranhamente distorcido. Quando se abre a porta da frente, por exemplo, há um corredor muito estreito." Muitos dos corredores e a cozinha foram criados com perspectiva forçada e desaparecem no infinito. Adicionalmente, "Sirius Black está

OCUPANTES: Família Black, Ordem da Fênix

LOCAÇÃO DE FILMAGEM: Leavesden Studios

APARIÇÕES: *Harry Potter e a Ordem da Fênix, Harry Potter e as Relíquias da Morte – Parte 1*

se escondendo depois de ter fugido de Azkaban", acrescenta a cenógrafa Stephenie McMillan. "Assim, há também a sensação de ser um espaço fechado. Stuart o elaborou com tetos muito altos e estreitos. E tem janelas altas, estreitas e espelhadas, de modo que ninguém consegue olhar para fora, o que, mais uma vez, contribui para a sensação de confinamento." McMillan complementou o visual espremido com armários, cômodas e camas muito altos.

Craig escolheu "a cor de tinta azul e preta" para a paleta do Largo Grimmauld. Stephenie McMillan comprou mobília para a casa e mandou pintar no tom de ébano escuro, o que combinava com a madeira das escadas e do rodapé. O cinza também era uma cor prevalecente, como no veludo das cortinas e nas paredes deterioradas, que são cobertas em uma seda cinza-escura que brilha de forma sinistra. McMillan supôs que o quarto de hóspedes ocupado por Rony, no alto da escadaria, fora decorado pela falecida Sra. Black. Em um do que ela chama de seus "raros usos de papel de parede", uma estampa listrada antiquada acrescenta verticalidade às paredes; as cortinas de seda cinza também são listradas. McMillan decorou o quarto com cômodas pretas, um manequim curvilíneo e gasto de costureira, e "comecei a colecionar leques velhos, que coloquei em molduras pretas, com mariposas mortas".

"David Yates queria que a cozinha fosse ainda mais comprida que originalmente planejada, o que, acho, acentuaria o fato de que Sirius e Harry estavam separados da família", diz McMillan. Ela não conseguiu encontrar uma mesa com 6 metros de comprimento para a cozinha da família Black, então esta foi construída no estúdio. As laterais da cozinha

NESTAS PÁGINAS, EM SENTIDO HORÁRIO: *A sala de estar do Largo Grimmauld tinha 9 metros de comprimento; Molly Weasley (Julie Waters) e Harry Potter em* Harry Potter e a Ordem da Fênix; *Harry entra no quarto de hóspedes em* Harry Potter e as Relíquias da Morte – Parte 1; *o diretor David Yates no cenário quando a família Weasley comemora o Natal em* Harry Potter e a Ordem da Fênix; *a fachada do Largo Grimmauld.*

"ESTA É A CASA DOS MEUS PAIS. OFERECI A DUMBLEDORE COMO QUARTEL--GENERAL DA ORDEM."

Sirius Black, *Harry Potter e a Ordem da Fênix*

tinham paredes móveis para permitir as filmagens, com armários de 4 metros na frente. "Estavam lotados de objetos de prata e estanho amontoados, pois quem cuida da casa é Monstro. Havia também uma coleção de louça com detalhes azul--marinho e dourados, com o brasão da família." McMillan acrescentou caldeirões pendurados e enormes bules de chá para dar uma sensação aconchegante.

Harry volta a se refugiar no Largo Grimmauld em *Harry Potter e as Relíquias da Morte – Parte 1*, junto a Rony Weasley e a Hermione Granger, quando eles são perseguidos por Comensais da Morte. Stephenie McMillan recebeu novos desafios. "Tínhamos que fazer uma sala grande e dois quartos que não existiam antes, os de Sirius e Régulo Black. O cenário já havia sido desmontado, então tivemos que reconstruí-lo." McMillan tinha em mente o que queria para a sala de estar, onde Harry, Rony e Hermione se acomodam. "Não parecia certo ter sofás macios. Eu queria que tivessem estilo regencial, com costas retas, e encontrei em uma empresa de aluguel. Dois sofás perfeitos, forrados com o tecido mais horrendo do mundo." McMillan perguntou ao dono se ele venderia os sofás para ela, "e ele gostou, pois ninguém nunca os alugava", diz ela, com uma risada. Os sofás foram forrados com um tecido preto e dourado, de tema oriental. David Yates pediu um piano de cauda com 9 metros de comprimento para a sala. "Assim, fizemos uma combinação de sala de música e sala de estar, com uma lareira em cada ponta e uma parede comprida com a maior estante de livros que já elaborei."

NESTAS PÁGINAS, EM SENTIDO HORÁRIO: *O cenário da sala de estar e da cozinha do Largo Grimmauld número 12; os quartos dos irmãos Sirius (alto) e Régulo Black (embaixo) são desarrumados, mas têm decoração distinta; a placa na porta do quarto de Sirius.*

✶ Tapeçaria da Família Black ✶

A tapeçaria da linhagem da família Black foi originalmente planejada para ser um adereço vertical perto da escada, mas os produtores queriam dar mais impacto a ela, e assim foi elaborado um aposento para abrigá-la no segundo andar. A tapeçaria vai de parede a parede, e, para completá-la, os produtores precisavam saber mais sobre a árvore genealógica do que era mencionado nos livros. Assim, o produtor David Heyman ligou para J. K. Rowling querendo saber o que acrescentar. O que recebeu por fax da autora foram cinco gerações de nomes com datas de nascimento, casamento e morte, assim como o emblema e o lema da família. A designer gráfica Miraphora Mina rascunhou o desenho horizontal fazendo consultas a Rowling e pesquisou tapeçarias medievais para enchê-la de gente. "Olhei muitas tapeçarias para encontrar rostos que eu achasse que tivessem apelo visual para ser transformados em bruxas e bruxos." Em seguida, a execução da tapeçaria foi discutida. "No começo, nos reunimos com fabricantes de tapeçarias, porque foi falado em mandar fazê-la de verdade. Felizmente, fizemos do verdadeiro jeito do cinema, que foi o de fingir", relembra Mina. Stephenie McMillan encontrou um tecido que imitava as curvas e distorções de uma tapeçaria feita por tecelões, e as imagens foram pintadas nele. Os parentes rejeitados da casa foram queimados, e o tecido, tratado e envelhecido.

NESTAS PÁGINAS, EM SENTIDO HORÁRIO: *A tapeçaria da família Black, desenhada por Miraphora Mina e baseada em um desenho de J. K. Rowling (uma foto de Gary Oldman como Sirius Black foi inserida como escala); Sirius Black abraça Harry Potter em* Harry Potter e a Ordem da Fênix; *a tapeçaria inclui marcas de queimadura que omitem os rostos dos familiares rejeitados.*

LIS ET GENS ANTIQUISSIMA BLACK ♦ EN STIRPS NOBILIS ET GENS ANTIQUISSIMA BLACK ♦ EN STIRPS NOBILIS ET
LACK ♦ EN STIRPS NOBILIS
MA BLACK ♦ EN STIRPS NOBILIS ET GENS ANTIQUISSIMA BLACK ♦

ET GENS
NOBILIS ET GENS ANTIQUISSIMA BLACK ♦ EN STIRPS NOBILIS ET GENS

CHALÉ DAS CONCHAS

"Quando você vê a silhueta do Chalé das Conchas, pensa que é relativamente convencional", diz Stuart Craig. "É um pequeno chalé inglês. No entanto, quando você chega um pouco mais perto, percebe que é feito de materiais extraordinários." O Chalé das Conchas oferece um lugar para Harry Potter, Hermione Granger, Rony Weasley, Grampo, Olivaras e Luna Lovegood se recuperarem depois da fuga da Mansão Malfoy em *Harry Potter e as Relíquias da Morte – Parte 1*. Craig pesquisou casas feitas de conchas, mas descobriu que a maioria usava as conchas como decoração de superfície. "Comecei a pensar que seria mais interessante fazer com que fosse construída com conchas." Mas, como sempre, o desejo dele era de dar credibilidade à casa em vez de seguir uma vontade que poderia diminuir o impacto emocional da sequência. "Basicamente, usamos somente três tipos de conchas", explica ele. "As paredes eram de conchas de ostras, embora das bem grandes, que podiam dar solidez. Decidimos que enormes conchas de vieiras fariam um ótimo telhado, capaz de impedir a entrada de água da chuva com eficiência. E grandes conchas de mexilhão seriam boas telhas de acabamento. Ainda é uma construção fantástica, mas dá para acreditar que é uma estrutura plausível." Quatro mil e quinhentas conchas de vieiras foram usadas só para o telhado.

No livro, o Chalé das Conchas fica em um penhasco, mas David Yates queria incorporar o som e o visual das ondas quebrando e da espuma branca, e a equipe foi em busca de uma locação litorânea. Os pesquisadores de locação descobriram boas praias por toda a Inglaterra, mas também procuraram no País de Gales, onde acabaram escolhendo a praia de Freshwater, que tinha enormes dunas e, como Craig descreve com uma risada, "fornecia as melhores ondas". Craig também achou que o local passava algo mais. "Achei que a ideia do Chalé das Conchas ficar em uma praia com grande faixa de areia, junto ao fato de que a areia poderia se

OCUPANTES: Gui e Fleur Weasley, Olivaras, Grampo, Luna Lovegood

LOCAÇÃO DE FILMAGEM: Praia de Freshwater, Pembrokeshire, País de Gales

APARIÇÕES: *Harry Potter e as Relíquias da Morte – Parte 1, Harry Potter e as Relíquias da Morte – Parte 2*

deslocar e enterrar parcialmente a casa, parecia ter uma estranha melancolia."

O Chalé das Conchas foi pré-fabricado em Leavesden Studios e depois construído na praia em Pembrokeshire, País de Gales. "Construir no local pode ser caro e, geralmente, mais difícil. As ondas de Freshwater tiveram seu preço, e o preço foram ventos incrivelmente fortes. Foi muito, muito difícil trabalhar ali", admite Craig. Os ventos também afetaram a estabilidade da casa, e, para impedir que ela fosse destruída, a estrutura interna precisou ser preenchida com tubos de andaime de aço, presos com o peso de várias toneladas de enormes garrafas de água. "Quando pronto, houve também a frustração de tentar estabelecer continuidade com a maré subindo ou descendo duas vezes a cada 24 horas", relembra ele. "A praia nos deu alguns problemas, mas também nos deu um aspecto dramático."

NESTAS PÁGINAS, EM SENTIDO HORÁRIO: *Arte conceitual por Andrew Williamson; o exterior final do Chalé das Conchas, construído e realocado para a praia em Pembrokeshire, onde as cenas foram filmadas; Luna Lovegood (Evanna Lynch) em frente ao Chalé das Conchas em* Harry Potter e as Relíquias da Morte – Parte 2; *arte conceitual por Andrew Williamson.*

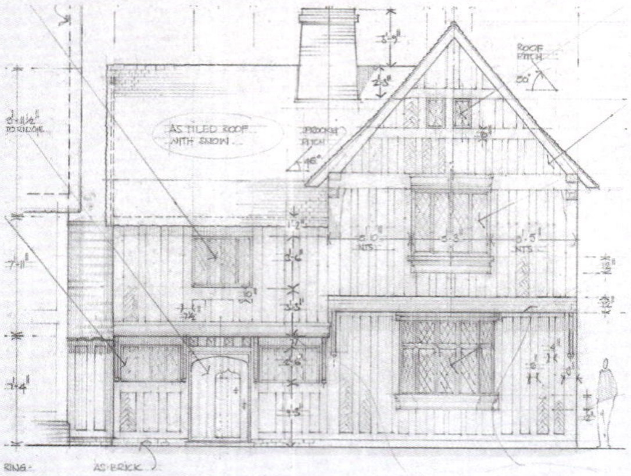

GODRIC'S HOLLOW

A casa de Tiago e Lílian Potter é vista brevemente em *Harry Potter e a Pedra Filosofal*, e, mais tarde, Harry Potter e Hermione Granger viajam para o vilarejo quando estão procurando as Horcruxes em *Harry Potter e as Relíquias da Morte – Parte 1*. Ali, eles visitam os túmulos dos pais de Harry e a casa de Batilda Bagshot. O diretor de arte Stuart Craig procurou referências na casa dos Potter e nas descrições do livro quando precisou criar todo o vilarejo. "Eu queria mergulhar em alguma coisa que fosse quintessencialmente britânica, para contrastar com o estilo gótico e o granito de Hogwarts e Hogsmeade. Godric's Hollow representa bem a parte sul da Escócia, elaborada no estilo Tudor, com fachadas de madeira, tijolo e gesso." Craig e a diretora de locações Sue Quinn procuraram um vilarejo rural que pudesse retratar Hollow e encontraram Lavenham, em Suffolk, que é repleta de casas do século XV no estilo enxaimel. "É uma das cidadezinhas mais espetaculares e lindas da rica Suffolk", diz Craig. Apesar disso, tomamos a decisão de filmar a sequência em uma área aberta de estúdio, mas não em Leavesden. "Pinewood Studios tem um jardim antigo esplêndido, parte da propriedade

"QUERO IR PARA GODRIC'S HOLLOW. VOCÊ SABE QUE FOI LÁ QUE EU NASCI, FOI ONDE MEUS PAIS MORRERAM."

Harry Potter, *Harry Potter e as Relíquias da Morte – Parte 1*

OCUPANTES: Tiago, Lílian e Harry Potter; Batilda Bagshot; Alvo, Aberforth e Ariana Dumbledore

LOCAÇÕES DE FILMAGEM: Lavenham, Suffolk, Inglaterra; Pinewood Studios

APARIÇÃO: *Harry Potter e as Relíquias da Morte – Parte 1*

original antes mesmo de ser estúdio", explica Craig. "E tem um cedro magnífico." Ele visualizou o cemitério de Godric's Hollow debaixo dos galhos da árvore, e então, diz Craig, "nós construímos o pátio da igreja, a igreja e o resto do vilarejo ao redor". Craig também pesquisou o que ele chama de cemitérios de pátio de igreja tradicionais britânicos, "mas tem um certo exagero nele. As lápides são mais monumentais do que você encontraria em um cemitério típico". O cenário físico foi aumentado digitalmente com vistas de Lavenham, e tudo foi coberto de neve. O supervisor de efeitos especiais John Richardson estima que eles usaram quarenta toneladas. Richardson diz: "Tivemos que cobrir todo o calçamento, os telhados, as janelas e as árvores. Houve tempestades enquanto colocávamos a neve no lugar que causaram problema, mas limpar tudo depois foi uma tarefa ainda maior." Craig admite: "Infelizmente, no fim da filmagem, tínhamos estragado o gramado. Mas substituímos o jardim todo, e eles foram muito compreensivos; isso costuma acontecer nos estúdios. É muito poder para uma árvore, mas valeu a pena. Era uma árvore linda."

NESTAS PÁGINAS, EM SENTIDO HORÁRIO: *Hermione Granger abraça Harry Potter na frente do túmulo dos pais dele em* Harry Potter e as Relíquias da Morte – Parte 1*; vistas do cenário de Godric's Hollow em Pinewood Studios; vistas de construção usadas para criar o cenário.*

CASA DOS LOVEGOOD

A casa dos Lovegood, na qual Harry Potter, Rony Weasley e Hermione Granger ouvem a história das Relíquias da Morte, é onde o pai de Luna Lovegood, Xenofílio Lovegood, publica *O Pasquim*, um tabloide excêntrico que serve como alternativa ao *Profeta Diário*, controlado pelo governo. Evanna Lynch, que faz o papel de Luna Lovegood, descreve a casa como "o tipo perfeito de lugar onde todas aquelas histórias malucas seriam impressas".

"J. K. Rowling a relata como sendo uma torre negra que parece uma pedra gigante, a torre em um jogo de xadrez", explica Stuart Craig. "Assim, não houve espaço para variação, mas como eu sempre tento fazer uma boa forma escultural, a casa não é apenas um cilindro. É um cilindro com uma inclinação e um estreitamento muito deliberado." Dentro, a mobília assume formas de acordo com o design circular. Eletrodomésticos, cômodas, mesas e estantes se curvam com as paredes, que são cobertas de pinturas inspiradas nos desenhos de Evanna Lynch de animais mágicos. "Evanna tem um olhar muito artístico e teve algumas ideias ótimas.

NESTAS PÁGINAS, EM SENTIDO HORÁRIO: *Arte conceitual por Andrew Williamson da casa dos Lovegood; o ator Rhys Ifans (Xenofílio Lovegood) conversa com o diretor de* Harry Potter e as Relíquias da Morte – Parte 1, *David Yates; o cenário interior da casa dos Lovegood; um desenho de Stuart Craig.*

"FIQUE LONGE DAS AMEIXAS DIRIGÍVEIS."

Placa em frente à casa dos Lovegood, *Harry Potter e as Relíquias da Morte – Parte 1*

OCUPANTES: Luna e Xenofílio Lovegood

LOCAÇÕES DE FILMAGEM: Leavesden Studios; Grassington, Yorkshire, Inglaterra

APARIÇÃO: *Harry Potter e as Relíquias da Morte – Parte 1*

NESTAS PÁGINAS, EM SENTIDO HORÁRIO: *O interior da casa dos Lovegood foi planejado para parecer "amorosamente vandalizado" por Luna Lovegood; desenhos da construção do exterior do cenário da casa dos Lovegood; a prensa móvel do século XIX que Xenofílio Lovegood usa para imprimir O Pasquim; arte conceitual por Andrew Williamson; outra vista do interior da casa.*

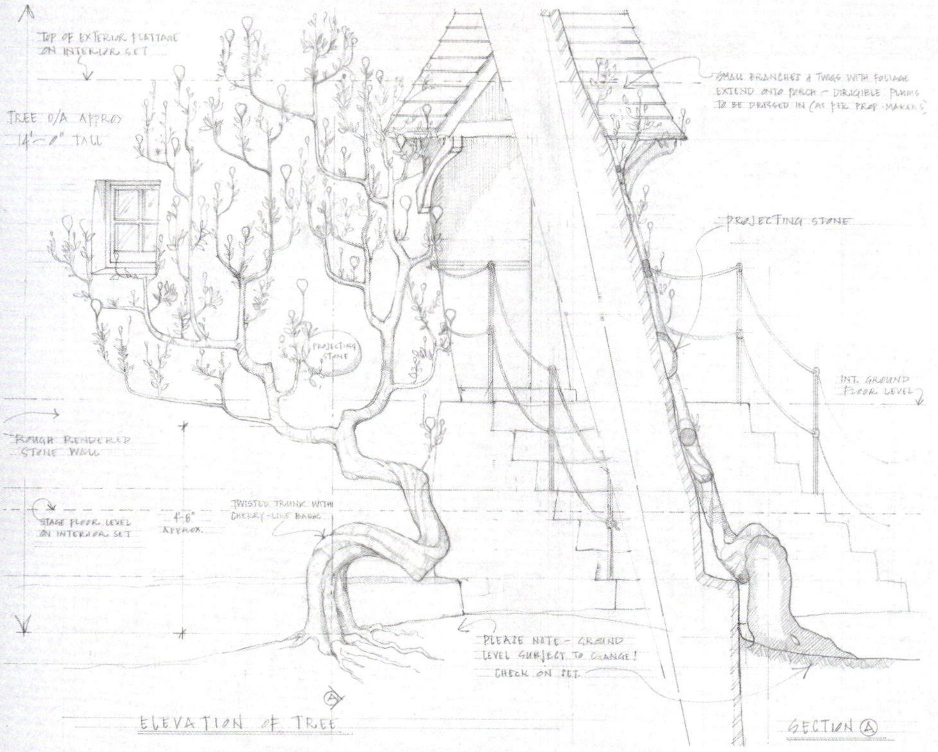

O resultado final é maravilhosamente eclético, mas aconchegante", diz Stephenie McMillan.

O móvel mais importante era a prensa móvel de Xenofílio Lovegood, que ocupava o primeiro andar. A máquina em tamanho real e que funciona segue o modelo de uma prensa móvel americana de 1889. Pilhas de edições antigas d'*O Pasquim* estão empilhadas no chão ao redor; o departamento gráfico estima que imprimiu 5 mil exemplares das sete edições que foram "publicadas". A edição atual da revista roda pela esteira de impressão como uma montanha-russa, subindo e descendo por paredes e passando pelo teto.

Craig colocou a casa dos Lovegood em uma paisagem similar à área pantanosa da Toca. "As casas mágicas ficam melhor em lugares desolados, que não são facilmente visíveis pelo mundo trouxa", afirma ele. Enquanto a paisagem usada como cenário para A Toca fica perto da costa sul da Inglaterra, a residência dos Lovegood fica perto das charnecas de Grassington, um vilarejo em Yorkshire, 500 quilômetros ao norte. "Mas dá para acreditar que um lugar fica a uma pequena distância do outro."

"BEM-VINDO À ENCANTADORA ALDEIA DE BUDLEIGH BABBERTON."

Professor Dumbledore, *Harry Potter e o Enigma do Príncipe*

BUDLEIGH BABBERTON

O professor Dumbledore leva Harry Potter a Budleigh Babberton no início de *Harry Potter e o Enigma do Príncipe*, onde Horácio Slughorn, o antigo professor de Poções de Hogwarts, esconde-se em uma casa trouxa para não ser descoberto pelas forças das Trevas. Apesar de não ser exatamente uma "casa bruxa", o método que Slughorn utilizou para se esconder ainda mais, assumindo a forma de uma poltrona de tecido listrado lilás, vai bem além dos métodos convencionais de segurança antitrouxa! Quando Dumbledore cutuca a poltrona com a varinha, ela se transforma de volta no professor, interpretado por Jim Broadbent. Para a equipe de design, o primeiro desafio foi encontrar um tecido que pudesse servir tanto de forro de poltrona quanto de pijama. "Procuramos materiais que pudessem servir como roupa primeiro", explica a diretora de figurinos Jany Temime. "E, quando encontramos, foi comprado o suficiente para criar o pijama e forrar a poltrona. Também encontrei um tipo de cordão que serviria para os detalhes do paletó do pijama e para fazer o viés da poltrona." O supervisor de efeitos especiais Tim Burke assumiu em seguida. "Conversamos com David Yates e percebemos que nossa abordagem seria fazer com que Jim Broadbent interpretasse uma poltrona. Foi criado um equipamento, uma espécie de gangorra, em que ele podia se sentar em uma posição similar a uma poltrona e que faria com que ele se levantasse e interpretasse a cena, que era sair de uma poltrona." No momento correto na cena, o equipamento foi erguido e levantou o ator junto, que só precisou se "sacudir". Parte da transformação de poltrona em pijama também foi animada digitalmente. Stephenie McMillan usou como base o pijama de Slughorn e criou uma paleta complementar para a sala.

OCUPANTE: Horácio Slughorn

LOCAÇÃO DE FILMAGEM: vilarejo de Lacock, Wiltshire, Inglaterra

APARIÇÃO: *Harry Potter e o Enigma do Príncipe*

Quando Harry e Dumbledore chegam, a casa está em ruínas, mas logo é magicamente consertada. Para conseguir isso, a equipe de efeitos visuais primeiro digitalizou a sala com tudo no lugar certo e, depois de uma rearrumação com a mobília danificada e a decoração amontoada, digitalizou a sala novamente. A cena foi então filmada em um cômodo praticamente vazio, com apenas os atores Daniel Radcliffe (Harry), Michael Gambon (Dumbledore) e Jim Broadbent, além de uns poucos móveis. A equipe de efeitos visuais fez então uma animação digital de cada adereço digitalizado para transformar de destruído a substituído como se seguindo ordens, e depois montou essa animação com a filmagem dos atores.

NESTAS PÁGINAS, EM SENTIDO HORÁRIO: *Dois exemplos de arte conceitual por Andrew Williamson mostrando o vilarejo de Budleigh Babberton; o professor Dumbledore e Horácio Slughorn em* Harry Potter e o Enigma do Príncipe; *adereços quebrados e espalhados sugerem uma invasão; o tecido usado no forro da cadeira também foi usado no pijama de Slughorn.*

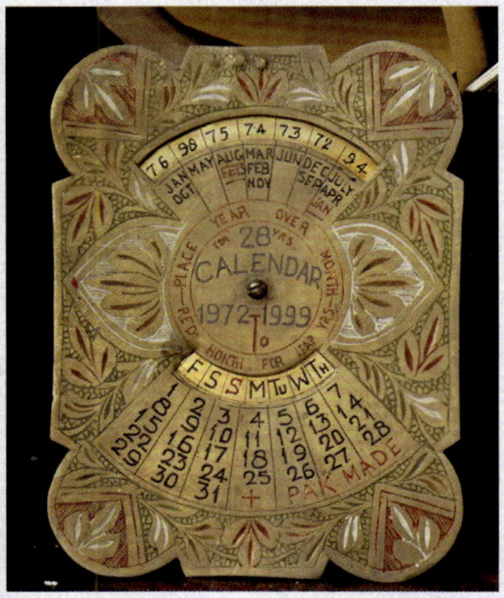

OCUPANTES: Tom Riddle, Sra. Cole

LOCAÇÃO DE FILMAGEM: Leavesden Studios

APARIÇÃO: *Harry Potter e o Enigma do Príncipe*

ORFANATO WOOL

O veterano diretor de arte Stuart Craig sabe que a inspiração pode surgir quando menos se espera. Para os flashbacks de Tom Riddle vistos na Penseira durante *Harry Potter e o Enigma do Príncipe*, Craig precisava criar o Orfanato Wool, onde o professor Dumbledore chega para convidar o jovem bruxo Tom Riddle a estudar em Hogwarts. "Às vezes, uma ideia pode sair direto da sua cabeça, embora seja mais comum que venha de alguma coisa que você viu em alguma referência ou fisicamente durante a busca por locações. Aprendi que nunca se rejeita nada. Nunca se sabe que ideia se vai ter." Craig estava procurando locações para a casa de Severo Snape na rua da Fiação, em uma cidade industrial à beira do rio. "Enquanto estávamos ali, fomos a um daqueles píeres velhos e desativados de Liverpool e, por acaso, vimos uma construção vitoriana extraordinária, a qual fotografei. É uma estrutura enorme de tijolos vermelhos, muito, muito alta, que dominava tudo ao redor. A torre central era monolítica. Era uma verdadeira curiosidade arquitetônica. Não era apropriada como o orfanato em si, mas mesmo assim foi inspiração para o design", relembra ele.

Por exemplo, o Orfanato Wool fica em Londres, não em Liverpool. "Já tínhamos a fachada de parte da rua de Londres construída para o número 12 do Largo Grimmauld, então nós a convertemos e adaptamos para se encaixar a outra construção. Agora, no fim dessa rua georgiana um tanto abandonada, há uma estrutura sinistra e sombria com cara de prisão." O interior do orfanato foi coberto com um azulejo esmaltado no estilo vitoriano. "É muito típico de instituições vitorianas", explica Craig, "porque, claro, duraria muito tempo e seria fácil de limpar". Chegar ao quarto de Tom incluía subir longas escadarias e percorrer longos corredores em um ambiente estéril e severo. "O visual é muito distinto e opressivo", diz ele. "Não é um lugar feliz, pode acreditar."

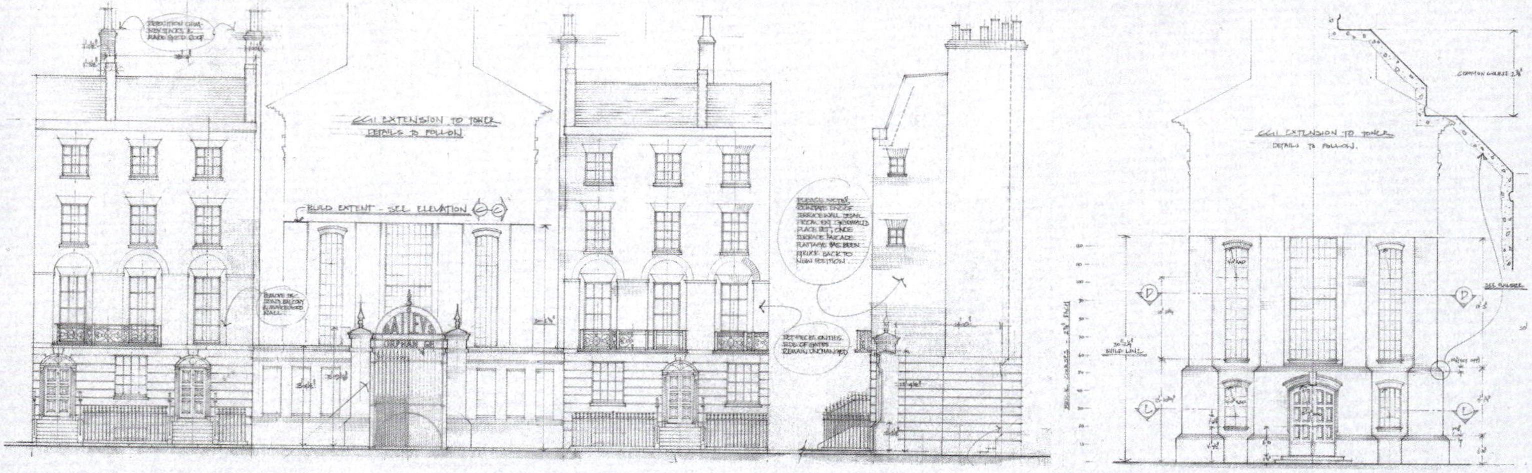

NESTAS PÁGINAS, EM SENTIDO HORÁRIO: *Arte conceitual por Andrew Williamson mostra a rua que leva ao Orfanato Wool; vistas da fachada do orfanato; um jovem professor Dumbledore (Michael Gambon) entra no quarto de Tom Riddle (Hero Fiennes-Tifflin) no orfanato em* Harry Potter e o Enigma do Príncipe*; arte conceitual que mostra a subida do professor Dumbledore ao quarto de Tom Riddle; um rascunho inicial de Stuart Craig do orfanato.*

"TOM, VOCÊ TEM VISITA."

Sra. Cole, *Harry Potter e o Enigma do Príncipe*

CEMITÉRIO DE LITTLE HANGLETON

No final do Torneio Tribruxo, em *Harry Potter e o Cálice de Fogo*, astúcia e enganação transportam os campeões de Hogwarts, Harry Potter e Cedrico Diggory, para uma armadilha montada por Voldemort e Pedro Pettigrew no cemitério da família Riddle. "A cena acontece em um grande cemitério, e eu sabia que era um cenário muito importante. Acabou sendo um de nossos maiores", explica Stuart Craig. A cena devia acontecer no alto de uma pequena colina cheia de lápides e estátuas, um cenário desafiador de se criar. O cemitério de Little Hangleton também tinha que ser muito velho, então Craig se concentrou em evocar uma atmosfera antiga, em ruínas e ocupada por vegetação. "Essencialmente, tem deterioração e abandono para todo lado", diz Craig. "Minha inspiração foi o Cemitério Highgate, no norte de Londres, que foi, de certa forma, retomado pela natureza." Construído em 1839, o Cemitério Highgate teve a área plantada com árvores, arbustos e flores que pudessem crescer sem restrição.

O cenário foi construído dentro do estúdio, de modo que a iluminação sinistra e a névoa artificial que cobria o cemitério pudessem ser controladas. "Podemos prender a névoa se estivermos em lugar fechado", diz Craig, com um sorriso. "Outra consideração prática foi que filmar no estúdio significava que a cena noturna podia ser feita durante o dia, o que acabava com o problema de filmar atores mirins à noite. O chão foi coberto com grama viva, e o cenário, preenchido com enormes lápides cobertas de musgo, algumas das quais com nomes dos bichos de estimação de gente da equipe. A estátua sobre o túmulo dos Riddle que prende Harry era para ser originalmente um belo anjo inspirado em monumentos estudados no Cemitério Highgate. Os produtores alteraram a ideia para um "anjo da morte" por causa da família à qual o túmulo pertencia.

"CEDRICO, TEMOS QUE VOLTAR PARA A TAÇA. AGORA!"

Harry Potter, *Harry Potter e o Cálice de Fogo*

OCUPANTES: Família Riddle

INSPIRAÇÃO PARA O CENÁRIO: Cemitério Highgate, Londres, Inglaterra

APARIÇÃO: *Harry Potter e o Cálice de Fogo*

NESTAS PÁGINAS, EM SENTIDO HORÁRIO: *Arte conceitual de Andrew Williamson; rascunhos iniciais de Stuart Craig definiram o visual final do cenário de Little Hangleton; um modelo do cenário; Harry Potter e Lorde Voldemort durante a cena do cemitério em* Harry Potter e o Cálice de Fogo; *Lorde Voldemort cumprimenta Pedro Pettigrew (Timothy Spall).*

MANSÃO MALFOY

A Mansão Malfoy é o lar ancestral da família puro-sangue Malfoy. Em *Harry Potter e as Relíquias da Morte – Parte 1*, Lorde Voldemort se apropria da casa para fazê-la de base de operações para seu crescente exército. A ação dos filmes aconteceria em dois sets enormes, e Stuart Craig se perguntou: que lugar poderia abrigá-los? "Na Mansão Malfoy, nós veríamos um hall de entrada no térreo e uma espaçosa sala de estar imediatamente acima disso, ligada por uma escadaria elaborada", explica Craig. "Decidi procurar primeiro a parte externa para usar como inspiração para o interior." Uma locação que tanto Stuart Craig quanto Stephenie McMillan admiravam era o elisabetano Hardwick Hall, construído por Bess of Hardwick em 1590. Bess, vindo de origens humildes, era independente por natureza e adquiriu muitas riquezas por meio

"E VOCÊ, LÚCIO?"

Lorde Voldemort, *Harry Potter e as Relíquias da Morte – Parte 1*

de quatro casamentos. Ela elaborou Hardwick Hall, famosa por ser declarada como sendo "mais de vidro que de paredes". "Cada lado é cheio de janelas enormes", descreve Craig. "E eu já sabia que, quando está escuro dentro da casa, essa quantidade enorme de vidro com escuridão atrás ganha uma qualidade misteriosa, meio ameaçadora e um tanto mágica." Ele adorava as janelas de vidro, um sinal de riqueza na época, mas ficou decepcionado com o telhado. "Assim, inventamos um telhado que parecia mais parte do mundo mágico, com pináculos que, de certa forma, a aproximavam aos pináculos góticos de Hogwarts, mas com um toque maléfico. Por fim, acho que a silhueta ficou incrível. E, às vezes, é uma ideia boa e legítima ser diferente apenas para ser diferente." Craig desenhou ilustrações conceituais com todas as janelas pretas ou fechadas. "Assim, essa casa, com enormes janelas de vidro, seus olhos, era na verdade cega, e acho que é uma declaração inicial muito impressionante ver esse exterior quando Snape se aproxima do portão da entrada principal."

O interior seguiu o estilo arquitetônico. "É um estilo bem robusto. Nós o fizemos deliberadamente pesado. Não sabemos o quanto Malfoy é rico, mas a questão é que ele é influente e malvado, e a arquitetura é grande e sinistra o bastante para refletir isso." Uma escadaria leva a um andar

ABAIXO E POSTERIOR: *As artes conceituais de Nick Henderson visualizam o portão da Mansão Malfoy e o ambiente remoto da casa.*

OCUPANTES: Lúcio, Narcisa e Draco Malfoy, Comensais da Morte, Lorde Voldemort

INSPIRAÇÃO PARA O CENÁRIO: Hardwick Hall, Derbyshore, Inglaterra

APARIÇÕES: *Harry Potter e as Relíquias da Morte – Parte 1, Harry Potter e as Relíquias da Morte – Parte 2*

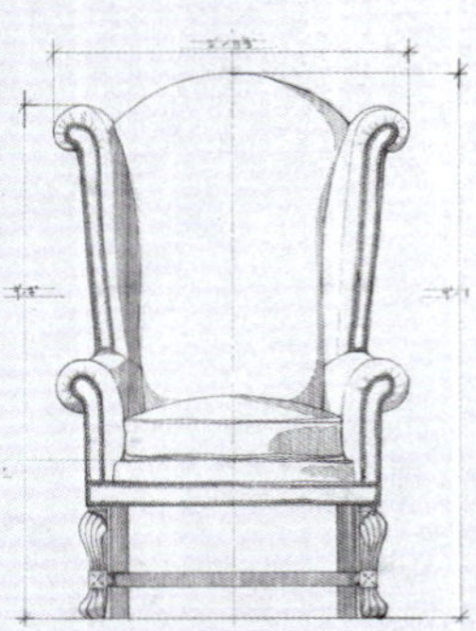

superior, embora seja um único aposento. "Não há portas. Só há aquela escadaria dupla que leva a essa sala", diz Craig. "E não há mais nenhuma porta levando a nenhum lugar." Ele conta que a construção foi direcionada para a história. "Da parte de baixo da casa, você tem que conseguir ouvir os gritos de Hermione enquanto ela é torturada por Belatriz na sala de cima. Portanto, não pode haver barreiras para o trajeto do som. Para isso, era necessário que só houvesse uma única e significativa abertura pela escada." Craig admite que é uma coincidência feliz, ou talvez infeliz, que "quando você chega lá em cima, está encurralado!".

Foi usado o exagero teatral para a sala em que Voldemort se reúne com seus seguidores, incluindo o teto alto com um lustre enorme. A diretora de arte Hattie Storey explica que o lustre foi uma montagem de cinco lustres com pingentes de vidro que se espatifariam em uma queda controlada quando fosse derrubado por Dobby. A lareira é uma das maiores construídas para os filmes. O centro da sala contém uma mesa impressionante. "Criamos uma mesa de 9 metros para a Mansão Malfoy, cercada de trinta cadeiras jacobitas feitas pela carpintaria", diz Stephenie McMillan. A mesa foi feita de modo que se dividia em duas partes para facilitar a filmagem. "Imaginei que haveria adereços e móveis que muita gente desejaria ter em casa no final das filmagens, mas essa era complicada. Não sei se aquela mesa teria sobrevivido ao transporte para qualquer lugar", diz Stuart Craig.

NESTAS PÁGINAS, EM SENTIDO HORÁRIO: *As artes conceituais por Andrew Williamson mostram Caridade Burbage pendurada no teto em uma reunião de Comensais da Morte e o porão da Mansão Malfoy; o diretor David Yates no cenário da Mansão Malfoy em* Harry Potter e as Relíquias da Morte – Parte 1*; um desenho de Hattie Storey para a construção de uma poltrona da Mansão.*

OCUPANTES: Severo Snape, Pedro Pettigrew

LOCAÇÃO DE FILMAGENS: Leavesden Studios

APARIÇÃO: *Harry Potter e o Enigma do Príncipe*

RUA DA FIAÇÃO

As irmãs Narcisa Malfoy e Belatriz Lestrange visitam a rua da Fiação, a casa de Severo Snape, em uma cena inicial de *Harry Potter e o Enigma do Príncipe*. Situada em uma cidade industrial, em que prédios quadrados de tijolo ocupam as ruas, conhecidas como "filas de operários", a casa é um lugar triste e opressivo. "As cidades industriais na Inglaterra são as que abrigam a indústria de algodão, em Lancashire, e as que abrigam a indústria de lã, em Yorkshire, o centro da indústria têxtil do século XIX. Fomos visitá-las, ver todas as casas, que formam fileiras infinitas. É um grande contraste com o mundo bruxo", explica Stuart Craig. As casas eram tipicamente construídas com dois aposentos no andar de baixo e dois no andar de cima. Uma pequena passagem nos fundos levava ao banheiro. Craig considerou filmar no local, mas, apesar de as casas estarem intactas, foram adaptadas para a era moderna, com cozinhas atuais e acessórios de plástico, e então o cenário foi montado no estúdio.

Stephenie McMillan mobiliou o interior da rua da Fiação levando em consideração o dono enigmático e cheio de segredos. "No livro, a casa de Snape, na verdade dos pais dele, era cheia de livros, então ocupamos tudo com livros, mas usamos basicamente capas marrons, azuis e pretas. Isso ofereceu um certo anonimato." McMillan também decorou a sala com pinturas de paisagens cinzentas. Conforme a sala ficava pronta, Alan Rickman oferecia opiniões criativas a McMillan. "Ele foi ao cenário olhar tudo que eu tinha usado na montagem. Em seguida, disse que achava que não haveria quadros na sala. Concordei e os retirei. Ficou ainda mais impessoal e um tanto distante, o que refletia a personalidade de Snape."

NESTAS PÁGINAS, EM SENTIDO HORÁRIO: *A arte conceitual de Andrew Williamson mostra Narcisa Malfoy (Helen McCrory) e Belatriz Lestrange se aproximando da cidade industrial onde fica a rua da Fiação, em uma cena que não foi executada; Severo Snape (Alan Rickman) em* Harry Potter e o Enigma do Príncipe*; um desenho preliminar feito por Stuart Craig.*

"DEIXE ISSO AÍ, BELA. NÃO DEVEMOS TOCAR NO QUE NÃO É NOSSO."

Professor Snape, *Harry Potter e o Enigma do Príncipe*

A TOCA

A primeira visita de Harry Potter à Toca, casa da família Weasley, acontece em *Harry Potter e a Câmara Secreta*. Independentemente da construção aparentemente aleatória da Toca, Stuart Craig insiste que há uma lógica e um nível de realidade nela. "Os livros mencionam um chiqueiro, então anexei um a uma estrutura muito simples, uma casa de um andar que poderia ser uma estrutura Tudor; essa era a base da coisa toda." Craig sustenta a suposição de que, a partir disso, Arthur Weasley continuou a construir a casa verticalmente em vez de lateralmente, e, por causa do interesse em coisas trouxas, teria construído com peças que conseguiu obter. "Peças trouxas, na verdade. Portanto, é uma casa bruxa maluca, mas construída com materiais bem reais e reconhecíveis, disponíveis. A estrutura do telhado é feita de madeira de demolição, coberta de ardósia e telhas de cerâmica e de madeira, qualquer coisa que ele conseguisse. Uma chaminé incrível sai do meio dele, e todos os aposentos estão ao redor, formando uma espécie de pilha vertical." Ele achou que o melhor local para receber uma estrutura vertical era um terreno plano. "Visitamos um lindo pântano perto de Chesil Beach em Dorset e imaginamos nossa estrutura naquele local. Sendo a única coisa vertical na área, criava um visual interessante." Colocar A Toca em um pântano também dava uma sensação de isolamento que Craig achava importante para mantê-la invisível do mundo trouxa.

O interior da Toca foi elaborado seguindo a mesma lógica. A cenógrafa Stephenie McMillan a mobiliou com itens variados e decorações que não combinavam

OCUPANTES: Arthur, Molly, Gui, Carlinhos, Percy, Fred, Jorge, Rony e Gina Weasley

LOCAÇÕES DE FILMAGENS: Chesil Beach, Dorset, Inglaterra; Leavesden Studios

APARIÇÕES: *Harry Potter e a Câmara Secreta, Harry Potter e o Cálice de Fogo, Harry Potter e o Enigma do Príncipe, Harry Potter e as Relíquias da Morte – Parte 1*

ANTERIOR: *A arte conceitual de* Harry Potter e a Câmara Secreta *mostra o Ford Anglia voador chegando na Toca.* ACIMA: *Uma paleta de cores terrosas foi usada no cenário da sala de jantar da Toca.* ABAIXO: *Um rascunho da Toca no campo contíguo aos fundos de Leavesden Studios.*

entre si. "O carpete da escada muda a cada três degraus", explica ela. "Nenhuma das portas ou janelas combina. A ideia era que eles compravam em lojas de segunda mão e brechós, ou pegavam coisas na rua, e que muitas coisas foram adquiridas por meio do emprego do Sr. Weasley no Ministério da Magia. Nada era novo." As paredes eram decoradas com desenhos dos filhos da equipe do departamento de arte, e a paleta prevalecente refletia as cores favoritas dos ruivos Weasley: vermelho e laranja. McMillan também fez a decoração com o tipo de artesanato favorito da Sra. Weasley em mente, contratando uma tricoteira para criar capas de almofadas, capas de chaleiras e, em *Cálice de Fogo*, algo especial para o quarto de Rony. "Shirley Lancaster tricotou uma colcha enorme de patchwork laranja com a palavra *Chudley*, o time favorito dele, os Canhões de Chudley e um jogador de quadribol voando, com um resultado espetacular", diz McMillan, que lista a colcha como um de seus adereços favoritos dos filmes.

Harry fica na Toca de novo em *Cálice de Fogo* e passa o Natal com os Weasley em *Harry Potter e o Enigma do Príncipe*. Eles escapam de um ataque de Comensais da Morte, que incendeiam a casa. A equipe de efeitos especiais usou um modelo da Toca, que foi incendiado em um processo controlado. Como resultado, para *Harry Potter e as Relíquias da Morte – Parte 1*, Stuart Craig e Stephenie McMillan enfrentaram o desafio de criar uma nova versão da casa dos Weasley. "Tem tábuas novas e está pintada, e por isso é menos excêntrica que antes… mas só um pouco", diz Craig. "A mobília é um pouco mais moderna, menos amontoada, pois os filhos são adolescentes ou adultos", descreve McMillan. "Caiamos o chão, como que para cobrir madeira queimada. E mudamos todos os móveis, inclusive o grande relógio de piso." Algumas peças sobreviveram, por sorte. McMillan decidiu que uma grande tábua de corte na cozinha, além da pia e do fogão de ferro fundido, tinha sobrevivido ao fogo. "Todo o resto é novo, mas ainda no estilo Weasley. É difícil repensar uma coisa e dar a ela o mesmo aroma, mas por fim foi divertido."

Na abertura de *Relíquias da Morte – Parte 1*, a família e os amigos estão reunidos para o casamento do filho mais velho dos Weasley, Gui, com Fleur Delacour, a campeã de Beauxbatons no Torneio Tribruxo. "Decidimos que o casamento deveria ser, como recepções de casamento muitas vezes acontecem,

em uma tenda", diz Craig. "A questão era se faríamos como uma extensão da casa dos Weasley, com a mesma excentricidade as mesmas cores e uma certa sensação amadorística caseira ou se faríamos uma coisa diferente." Stephenie McMillan sugeriu o uso de uma tenda que eles tinham no estoque, que foi usada em uma festa no jardim do Palácio de Buckingham. "Tinha o topo pontudo e listras verdes e creme com as beiradas onduladas." Mas David Yates preferiu uma cor lisa, e assim a tenda ficou cinza-claro, com interior roxo. Essa mudança encorajou mais ideias sobre o design do casamento. "Decidimos dizer que os pais de Fleur Delacour tiveram grande influência no casamento", explica Craig. "Na verdade, o Sr. Delacour provavelmente pagaria pela festa por ser o pai da noiva, e isso permitia uma influência francesa. Nós decidimos seguir com isso, e o interior é refinado, com sedas pintadas e velas flutuantes em candelabros no estilo francês do século XVIII. A coisa toda tem uma aparência elegante e um tanto diferente dos Weasley. É um belo contraste com a casa." Assim como o prateado ocupava o Salão Principal no Baile de Inverno, enfeites roxos ocupavam a tenda: flores, toalhas de mesa e tapetes. A tenda foi tecida no Paquistão, com um material de lona à prova de fogo, e forrada com seda da Índia e a estampa de uma borda de flor-de-lis lilás para complementar a cor ametista. McMillan também conseguiu cadeiras pretas de imitação de bambu que achou com cara de "coisa de bruxos". Borboletas pretas criadas por efeitos visuais voavam ao redor dos postes de sustentação. Craig e McMillan foram informados no começo sobre a quantidade de convidados. "Fizemos um planejamento de lugares logo no começo, com os Weasley em uma grande mesa redonda e os Delacour em outra. Mesas adicionais acomodavam grupos de seis convidados, e acho que no total eram 130 pessoas." McMillan declarou que nunca mais queria planejar um casamento depois desse. "É muito estressante!"

O departamento de adereços cuidou de 4 mil canapés, bolinhos e bombas de chocolate artificiais, que foram colocados em suportes de borracha. Como tudo sai voando quando a recepção é invadida por Comensais da Morte, por segurança nada de metal ou vidro podia ser usado. O bolo de quatro andares foi decorado com uma técnica chamada *treillage*, baseada em arcos de treliça usados em jardins franceses do século XVIII.

Quase seiscentos cenários foram criados para os filmes de *Harry Potter*, e eles foram tão variados quanto uma tenda bruxa, uma loja de doces, uma sala de aula de Poções, uma casa escondida e uma cabana de guarda-caça. "Cada filme tinha uma coleção completamente nova de cenários e adereços que precisavam ser construídos", relembra Craig. "Havia sempre um fluxo constante de novo trabalho a ser feito, mas essa era a parte maravilhosa."

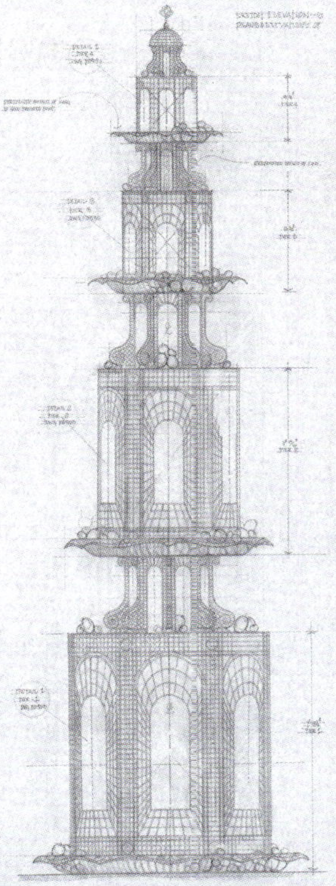

NESTAS PÁGINAS, EM SENTIDO HORÁRIO: *O relógio dos Weasley tem um ponteiro para cada membro da família; a arte de Andrew Williamson mostra a luxuosa tenda de casamento com inspiração francesa; uma vista do cenário criado para* Harry Potter e as Relíquias da Morte – Parte 1*; vista da construção do elaborado bolo de casamento por Emma Vane; uma colcha tricotada à mão por Shirley Lancaster homenageia os Canhões de Chudley.*

"ACHO INCRÍVEL."

Harry Potter, *Harry Potter e a Câmara Secreta*

In Memoriam

Stephenie McMillan, cenógrafa dos oito filmes de Harry Potter, *faleceu em agosto de 2013. Por seu trabalho nos filmes, McMillan recebeu indicações para quatro prêmios da Academia de Cinema e três Prêmios BAFTA, junto a Stuart Craig. Ela disse uma vez: "Em* Harry Potter, *trabalhando com os melhores em todos os níveis, gráfico, de efeitos visuais, de adereços, nada era impossível. Tive tanta sorte de ter a oportunidade de decorar esses cenários incríveis e enormes..." Os fãs têm ainda mais sorte por Stephenie McMillan ter recebido a sua carta para Hogwarts, e admiramos a magia que ela deu à série* Harry Potter.

Título original em inglês:
Harry Potter: Magical places from the films

INSIGHT EDITIONS

Produzido e criado pela Insight Editions, LP,
800 A Street, San Rafael, CA 94901, USA,
www.insighteditions.com

Editor: Raoul Goff
Diretor de arte: Chrissy Kwasnik
Design do livro: Jon Glick & Jenelle Wagner
Layout do livro: Jenelle Wagner
Editor executivo: Vanessa Lopez
Editor de produção: Rachel Anderson
Assistente editorial: Greg Solano
Diretor de produção: Anna Wan

Texto revisado segundo o novo Acordo Ortográfico da Língua Portuguesa.

Composição de miolo e adaptação de capa: Renata Vidal

Direitos exclusivos de publicação em língua portuguesa somente para o Brasil adquiridos pela
EDITORA RECORD LTDA.
Rua Argentina 171 - Rio de Janeiro, RJ - 20921-380
Tel.: 2585-2000,
que se reserva a propriedade literária desta tradução.

CÓPIA NÃO AUTORIZADA É CRIME — ABDR — ASSOCIAÇÃO BRASILEIRA DE DIREITOS REPROGRÁFICOS — RESPEITE O DIREITO AUTORAL
EDITORA AFILIADA

Impresso na China

ISBN 978-85-01-10347-5

Seja um leitor preferencial Record.
Cadastre-se e receba informações sobre nossos lançamentos e nossas promoções.
Atendimento e venda direta ao leitor
mdireto@record.com.br ou (21) 2585-2002.

CIP-BRASIL. CATALOGAÇÃO-NA-FONTE
SINDICATO NACIONAL DOS EDITORES DE LIVROS, RJ

R349h

Revenson, Jody
Os lugares mágicos dos filmes de Harry Potter / Jody Revenson; tradução Regiane Winarski. – 1ª ed. – Rio de Janeiro: Galera Record, 2015.
il.

Tradução de: Harry Potter : magical places from the films
ISBN 978-85-01-10347-5

1. Harry Potter (Filme) - Representação cinematográfica. 2. Filmes de Harry Potter. 3. Cinema e literatura. 4. Adaptações para o cinema. I. Título.

15-19016 CDD: 791.4375
CDU: 791